集英社文庫

ガダラの豚

I

中島らも

集英社版

ガダラの豚

プロローグ

　それから、向こう岸、ガダラ人《びと》の地に着かれると、悪霊につかれたふたりの者が、墓場から出てきてイエスに出会った。彼らは手に負えない乱暴者で、だれもその辺の道を通ることができないほどであった。

　すると突然、彼らは叫んで言った、「神の子よ、あなたはわたしどもとなんの関わりがあるのです。まだその時ではないのに、ここにきて、わたしどもを苦しめるのですか」。

　さて、そこからはるか離れた所に、おびただしい豚の群れが飼ってあった。

　悪霊どもはイエスに願って言った、「もしわたしどもを追い出されるのなら、あの豚の群れの中につかわして下さい」。

　そこでイエスが「行け」と言われると、彼らは出て行って、豚の中へはいり込んだ。すると、その群れ全体が、がけから海へなだれを打って駆け下り、水の中で死んでしまった。

（マタイによる福音書第八章二十八～三十二）


「今日は闇《やみ》が重たいな」

本堂へ細く廊下が延びている。隆心《りゅうしん》老師は曇った夜空を眺めて言った。

それが独り言《ひとごと》なのか、弟子の自分に向けられた言葉なのか、恵心《けいしん》にははかりかねた。

たしかに濃い闇だった。

早春の深夜一時。思わず襟《えり》を寄せ合わせるほどの肌寒さである。にもかかわらず、闇そのものにねっとりとした密度のようなものが感ぜられた。その重い空気の中を、この大阿闍梨《だいあじゃり》は板軋《きし》みひとつ立てず軽やかに進んでいく。

「恵心やい。おまえは、落語は聞くか」

「は？　落語……ですか？」

「ああ、そうや。落語や」

「はあ。聞くと言えるほど聞いた覚えはございませんが」

「不粋《ぶすい》な奴《やつ》やの。法話も咄《はなし》なら落語も咄や。たまには落とし話のひとつも聞いて、人のつかみ方でも勉強せんかいな」

「おそれいります」

隆心師は、そう言えば先の円生《えんしょう》に似ているな。不遜《ふそん》なことを恵心は思った。

「小話で面白いのがあるんや。〝ゆんべ、茄子《なす》の夢を見た。でっかい茄子やった〟と、ある男が言うのや」

「茄子ですか」

「相棒がな、〝でっかい茄子て、どれくらいでっかいのや。賀茂《かも》茄子くらいか〟と尋《たん》ねると。いやいや、そんなちいさなものやない、と。そしたら、大根《だいこ》くらいある茄子か、と言うと。とてもとても、そんな寸法やない。そしたら、牛くらいの茄子か、家くらいの茄子か。いや、

もっともっと大きい。山くらいの茄子か。なんのなんの、もっとでかい。相棒も呆《あき》れて、全体、どれくらいの茄子なんや、と訊《き》いたらな。はあ、まあ、たとえて言えば、〝暗闇にヘタをつけたような〟……、となし

「はい」

「どうや、面白かろう」

「はい」

「阿呆《あほ》。面白かったら、笑わんかい」

「申し訳ございません」

隆心師は、痰《たん》のからんだ声で、小さく笑った。

「今夜の闇は、ほんまに、ヘタつけたりたいような闇やな」

「はい」

本堂にはいると、数人の弟子たちの手で、すでに護摩行《ごまぎょう》の用意が整えられていた。百八本ずつに束ねられた護摩木が、うず高く積まれている。目を圧するほどの量である。それも通常の「添え護摩」ではない。

普段の護摩行であれば、信者の祈願誓願を書き込んだ添え護摩（祈願札）を、真言《しんごん》を唱えつつ炉に投ずる。約三時間ほどで終わる、密教においては日常の業務である。

そうではなくて、隆心師は七十八歳の高齢の身でありながら、「十万枚護摩焼供」の荒行《あらぎょう》に挑んでいる最中なのだった。

これが、老体にとってどれほど苛酷《かこく》な行か、ということは、隆心師はもちろんのこと、弟

子僧の全員が熟知している。

密教では、弘法《こうぼう》大師が修法した「虚空蔵求聞持法《こくうぞうぐもんじほう》」と並んで、「八千枚護摩行」が至難の秘法とされている。人間の感覚作用八識、すなわち、眼識《げんしき》、耳識《にしき》、鼻識、舌識、身識、意識、末那識《まなしき》、阿頼耶識《あらやしき》には、おのおの千の迷妄が潜んでいるという。この妄信を焼き尽くすために、不動真言十万遍を唱えつつ、八千枚の護摩木を焚《た》くのである。前行として十四日間、穀《こく》断《だ》ちをして菜食を摂《と》る。八千枚の護摩を焚く正行の日を前にした七日間は、完全な断食である。結願《けちがん》の日には水さえ断たねばならない。

八千枚の護摩木を焚くには七、八時間を要する。二、三メートルもあがる護摩炉の炎の前は焦熱地獄である。その間、一滴の水も飲まず、もちろんトイレに立つことも許されない。ただひたすら真言を唱え、護摩木をくべる。水気などなくなっていたはずの体から、汗が滝のように流れる。法衣はぐっしょりと濡れ、やがて塩を噴く。

この行を成し遂げれば、「心に願い求むるところのもの、皆ことごとく成就することを得。発言ことごとく意に随い、摂召するところすなわち至る」、つまり、非常な法力を持つことができると言われる。

ただ、行の苛酷さのために中途で衰弱したり失神したりする者が多い。密教僧の世界では、この行は普通、一生に一度できればいい、と言われている。

それが、「八千枚」の護摩行なのだ。隆心師は、高齢の身で「十万枚」焚こうというのである。正確に言うと、十万八千枚だ。もちろんのこと、一日では成し得ない。前行の菜食、断食を経た後、一日に一万八百枚ずつ、十日間にわたって挑む心算なのだ。

師の高齢を考えれば、まさに無謀な、死を賭《と》しての行である。弟子たちも信者も、必死になって師の決意を翻《ひるがえ》そうとした。だが、隆心師の意は不退転であり、その底にはなにやらよほどの大願がひそんでいるもののようだった。

師は、ひょうひょうとして戯《ざ》れ言《ごと》ばかりしか口にしないが、おそらくその大願とは個人的な悟達といった次元のものではあるまい。

ついには、弟子も信者たちも、この大行を支援するよりなくなってしまったのだった。

十万八千枚の護摩木は、多数の信者たちが作ってくれた。前日から精進《しょうじん》料理で斎戒《さいかい》し、怒りを抑える忍辱行《にんにくぎょう》を積む。甲子《きのえね》大黒の日を選んで、午前三時に山にはいり、木を切り出す。その木を割り、削り、一本一本祈りをこめて護摩の乳木に仕上げる。仕上げたものを、何度も数え直したうえで、百八本ずつの束にあげていく。これが千束。

今日でこの護摩修法は七日目にはいらんとしていた。さすがに、師の疲労は深い。恵心に軽口を叩《たた》いてみせたりするのも、老師一流の、〝心配させまい〟という気づかいなのだろう。

本堂の中には恵心を筆頭に、数名の弟子が座して目を伏せている。

ロウソクのわずかな灯《あか》りに、本堂の五体の本尊が浮かび上がる。忿怒《ふんぬ》の形相の不動明王が三体。右に胎蔵界大日如来。左に金剛界大日如来。ともに半眼微笑をもって、下方の護摩壇を見下ろしておられる。

隆心師は、本堂にはいると、相変わらずどこかひょうひょうとした風は残しつつも、さすがにきゅっと奥歯を嚙《か》みしめた表情になった。

本尊とは別に置かれた弘法大師像にまず一礼する。

「南無《なむ》大師《だいし》遍照金剛《へんじようこんどう》」

それから静かに護摩壇に上り、五体を投じてご本尊に礼拝する。

護摩炉の前、「獅子座《ししざ》」と呼ばれる場所に座る。真言を唱え、印を結び、壇上に結界《けつかい》を張る。壇上の、水、花、灯明《とうみよう》などを仏に捧げる。手で印契《いんげい》を結び、口で真言を誦《ず》し、心で仏を念じる。これがつまり、「身密」「口密」「意密」の三密加持《かじ》である。

その後、初めて炉に火を入れる。

炉の上には三十六本の壇木がやぐらの形に組まれている。

鉄箸《てつばし》で苦練木《くれんぼく》の一本を取り上げ、木の端を酥《そ》（油）につける。何百年と絶やしたことのない灯明の聖火を苦練木に取り、やぐら状の壇木に点火する。

よく乾いた壇木がたちまちのうちに、「重たい闇」を切り裂いてはぜ上がる。

「ノウマクサンマンダ〜　バーサラダン　センダン　マーカロシャダ〜　ソワタヤ　ウンタラターカンマン（一切の諸金剛に帰依《きえ》し、大忿怒の相をして、暴悪の輩《やから》を破壊し恐怖せしめ、しかるのち我が身を堅固なるものにす）」

師の口から、乾きかすれてはいるものの、驚くほどの声量で、不動真言が誦される。

弟子たちが朗々とそれに唱和する。恵心は正確なリズムでそれに太鼓を加え続ける。

リズムに呼応して、師の手から、護摩木が三本ずつ、寸分の狂いもなく炉に投ぜられていく。

炉の炎はごうごうと燃え上がり、その熱は恵心の顔面にも汗をにじませた。

「私でさえこれだけ熱いのだから、老師はどれほどの炎熱地獄を耐えておられるのだろう」

これが、以降、かたときの休みもなく八時間続くのである。恵心には、たった一日でもこの行をやりおおせる自信はなかった。七十八歳の、それこそ鶴のようにほっそりとしたこの老人の、いったいどこからこんな力が湧《わ》いてくるのか。それとも、体力や精神力、要するに「力」をもって火と闘おうとする、その考え方がまちがっているのだろうか。

考え始めている自分に気づいて、恵心はうろたえた。疑問を抱いたとたんに、太鼓の音にかすかな乱れが生じ始めたからである。その乱れは、他の若い僧たちの声明《しょうみょう》に、微妙なとまどいをもたらしかねないものだった。

恵心は再び護摩木を投ずる老師の指先だけに神経を集中させるべく、必死の努力を払った。炉はいまや、次々と投ぜられる護摩木によって、二メートルから、時には三メートルに近いほどの炎を噴き上げていた。その真正面に座る隆心師にも弟子たちにも、微細な火の粉が間断なく降り注いでいた。

隆心師は、二秒に一本の割で護摩木を炉に投じ続けていた。

「ノウマクサンマンダ　バサラダン　センダン　マカロシャダ　ソワタヤ　ウンタラタカンマン」

唱える不動真言、木を投ずる手先、寸分の乱れもなかった。また、両者が乱れることはこの行の破綻《はたん》を意味していた。想《おも》いが真言か手先かのいずれかに片寄れば、両《ふた》つの行為の間にズレが生じる。それを修復しようとすれば呼気が乱れる。呼気が乱れれば意識は日常のレベルに戻ってしまうであろう。灼熱《しゃくねつ》の中にいる自分を発見することになる。そうなると、もう

失神するか倒れるかしかないのだ。

事実、隆心師は四十代半ばまでの間に、何度もこの「我に返った」ことのせいで、「八千枚護摩行」に失敗してきたのだった。

初めてこの「感じ」をつかんで行を成し遂げたのは、五十を越えてからのことだ。いや、正確に言えば、それは「感じ」ですらなかったはずだ。「感じ」や「コツ」さえ忘れる無想の境地に至らなければこの荒行は成立しないのである。

隆心師は、ただただ炎だけを観じていた。

炎は一瞬たりとも同じ形をとることはない。その点では流れる水や雲や風と同じ本質を持っていた。

炎は、水のように冷たく、雲のように柔らかく、風のように涼しかった。

行は七日目にはいっていた。

古伝を見るに、この行を完遂した先達たちは、まさに七日目、炎の中に不動明王の姿を見る者が多いという。

隆心師にはわかる気がした。

不動明王は、背に炎を背負って忿怒の相をした神である。ただ、その姿は、大日如来の本質の、ひとつの「顕《あら》われ方」に過ぎない。大日如来とは宇宙、物質、生命の本質であり、それがたとえば人間の形をとれば釈尊となる。地水火風も生命も、この大日如来=宇宙の本質がみせる表情のひとつであり、仏教用語で言うならば「色《しき》」だ。根源的には同一のものの、ひとつの顕われ方なのである。それぞれのエレメントがまとっている特性、つまり「色」は、

たとえて言えば同じ人間の肉体の中で「顔」と「性器」が違うように違うに過ぎない。あるいは、「顔」と「性器」が同じであるように同じなのである。

宇宙的なパースペクティブに立てば、「違う」と「違わない」はもはや同じ言葉なのではないか。

それほどの高みから見れば、「十万枚護摩行」で到達できる高みなどは九牛の一毛ほどのかそけさか。が、それでも今の隆心師にとって、火は涼しく、口中に含めば渇をいやしてくれそうな気さえするのだった。できるものならば、このオレンジ色の炎を掌《たなごころ》一杯に掬《きく》して飲み干してみたい。隆心師は、幼児のような感覚で炎を眺めていた。

「この涼しき波の中に、不動明王、おわしまするや」

サンスクリット語の真言を、まるで伴奏のようにつぶやきながら、隆心師は頭の中でこんな別の歌を歌っていた。

師の異常に最初に気づいたのは恵心だった。

恵心は、先ほど、雑念がはいったために太鼓の調子が乱れそうになったことを深く恥じていた。無念無想になるために、師の後ろ姿だけを、何も考えずに凝視していた。

盤石《ばんじゃく》のように不動の師の背筋。リズミカルに護摩木を投じる手先。そしてその先に燃え上がる護摩の炎。

最初のうち、その変化はゆっくりと起こった。

ピシッと張っていた師の背筋が、段々に前のめりに崩れ始めているような気がした。

「ノウマクサンマンダ　バサラダン　センダン　マカロシャダ　ソワタヤ　ウンタラタカン

マン」

真言は相変わらず続いているのだが、明らかに声の張りが失せつつあった。

護摩木を投ずる速度も不均一になりつつあった。

師の背は、いまやはっきりとわかるほどに湾曲している。猫の背のように丸くなっていた。

「？」

さすがに、他の弟子たちも異常事態に気づき始めたようだった。

徐々に前のめりになっていく隆心師の背中を見て、弟子たち全員の背に緊張が走った。

しかし、おかしなことに、真言声明はまだ続いていたのである。

「ノウマクサンマンダ……バサラ……ダン」

ただ、それとてもかなりペースダウンしつつはあった。

師は、いまや護摩木を投ずるのを中断してしまっていた。

投ずるかわりに、その護摩木を使って、ときどき炎の中をさっさと横払いにしたりしている。それは、扇子《せんす》か何かで店のノレンを払って、中の様子を覗《のぞ》こうとしているような動作だった。

師はいまや、上半身腹這《はらば》いに近い形になって、熱心に炎の中を「覗いて」いるのだった。

弟子たちの声明も、恵心の太鼓も、とっくに止まっていた。異様な静けさの中で、木のぱちぱちはぜる音だけがしている。

恵心はたまりかねて叫んだ。

「大阿闍梨。どうされました」

隆心師は、ゆっくりと弟子たちのほうを振り向いた。

全員が息を呑《の》んだ。

太く垂れ下がっていた老師の眉毛《まゆげ》が失《な》くなっている。炎に顔を近づけ過ぎたために、焦げて焼け落ちてしまったらしい。おまけに、顔の皮膚のあちこちには火ぶくれができていた。

それでも、師の目は強い光を放っていたので恵心は心底ホッとした。どうやら脳血栓《のうけっせん》でもご乱心でもないようだ。

「恵心。わし、顔が痛い」

「何をしとるっ！　早く冷水と油を持ってこい」

恵心は弟弟子たちを怒鳴りつけた。

「恵心やい。どうもわしは十万枚護摩修法てなことは、十年、二十年早かったようや」

「どうなさいました」

「うーん。修行が足らんで、なまじに目をつむると、天狗《てんぐ》じゃ鬼じゃと、しょうむないもんに会う、憑《つ》かれるとは聞いとったんや。けど、そういうやらしいもんは、みんなおのれの心の中から出てきよるもんや。わしももうこの年やさかい、そんなざんないもんは霧消したもんやと思いよったが。……はて、あれは何やろう……」

「その……何か妙なものをご覧になったんですか？」

「うん。けど、あれがほんまにわしの心ん中から出てきたものやろうか」

「いったい、どうなさったんです」

そこへ弟子たちがあわてふためいて、胡麻油、氷水、軟膏《なんこう》など、一式を持ってきた。

さっきから一分もたっていないのに、隆心の顔面はみるみるうちにあちらこちら、派手な火ぶくれが盛り上がり始めていた。

「いたたたた。阿呆か、おまえは。いきなり軟膏をこすりつける奴があるか。火傷《やけど》っちゅうのはな。まず流水でよう冷やしといて、それから油をつけるんや。一番ええのはな、豚の生皮張りつけるんや。そしたらきれいになおるけどな、さすがにそれはでけへん。豚の生皮張りつけとるような奴を生臭《なまぐさ》坊主と言うんや」

「どうも、口だけは元気ですな、老師は」

「軽口でも叩かんと、この痛さ。恵心、おまえ、十年もこの寺におって、わしのこの口が強がりなんか弱がりなんか、そんなこともわからんか。え?」

恵心は、隆心の顔を包帯でぐるぐる巻きにしながら、半ばウンザリして尋ねた。

「で、実際のところは、何がどうなったのですか」

「うむ。見えたんや」

「見えた?」

「いや、これは、わしのほうに邪念があったのやもしれん。お山(高野山《こうやさん》)での先達の中にはな、護摩修法中に、炎の中に不動明王を見たという人がようけいてますのんや。それも、十日の行やったら成願の日やのうて、ええ加減疲れが限界にきた七日目あたりに見た、と。こういう人が多いんや。それで、わしも何かを見てやろうという気がどっかにあったのかもしれん。じっと炎を見とったんや」

「で……何か?」

「うん。見えた」

「不動明王がですか？」

「さ。そこや、恵心。人間っちゅうのはな、見たいと思うもんを無理矢理にでも見るもんなんや」

「と、言いますと？」

「たとえば、雲とか、樹の繁みとか、天井板の木目とか、炎とか。ああいう、はっきりした形の無い、ややこしい形のもんの中には、人間は自分の見たいもんを見つけられるもんや。雲の形見てもやな。見てるのが女の子やったら、〝チューリップ〟に見えると言うやろうし、男の子が見たら王様の冠に見えるかもしれん」

「はい」

「そやからな。ああやって真言唱えて、形が有るとも無いとも観じようのない清浄の炎を見続けておってやな。そこに不動明王が見えたとか、大日如来さまの光輪が見えたとか。そういうことであれば、わしもこういう失態はせなんだと思うん」

失態。――事実、行はこの時点で破綻していた。

恵心は、隆心師の表情が、段々と真剣なものになってくるのに気づいた。もっとも、ほとんどが包帯に隠れていて、見えるのは目と口のまわりだけだ。

「では、老師は何をご覧になったので」

「……大黒《だいこく》や」

「……大黒？」

「最初は、炎の中に何か妙な形のものがあるな、と。ぼんやり見ておった。護摩木の燃えさしじゃろう、影じゃろう、と思うた。なぜなら、それは最初はぼんやりとして大きかったものが、見つめるにしたがって少うしずつ小さく、小さいけれど鮮明になっていきよったからなんや」

「小さく鮮明になっていったんですか」

「うん。で、しまいに、はっきりと形がわかるようになったのやが、いかんせん、どんどん遠くなっていきよる」

恵心は膝《ひざ》を打った。

「それで老師は、それを追って炎のほうへ顔を近づけていかれたわけですね」

「うん。不思議に、そのときは熱いも何も感じへんかった」

「でも、それが大黒だというのはどういう根拠なのですか」

「恵心。大黒というのはな、日本では七福神の一人で善神やということになっとるが、もとをただせばインドの〝マハハラ〟、悪神、宇宙の暗黒面をつかさどる神さんや。大いなる闇やというので大黒天なんや。わしが見たのは、なんかそういうもんやった」

「…………」

「そいつは首だけやったのやが、〝盾《たて》〟みたいな形の顔をしてた」

「盾？」

「そうや。それで、口元は笑うとるのやが、嬉《うれ》しいて笑うとる笑いやない。ナイフでむりやり口を笑い顔に切り裂かれたような笑いや。それが、炎の中で、顎《あご》を振り子みたいに左右に

ゆっくり振りながら、段々遠ざかっていきよる。はっと気づいたときには、もうずいぶん遠くのほうへ行ってしもうとった」

結局、老師は勤行の疲れのあまり、居眠りして短い夢を見られたのではないか。恵心は、この長話を聞く間に、ほぼ確信し始めていた。

しかし、包帯の中から老師はなおも話し続けるのであった。

「そいつはな。顔の色がまっ黒やったんや」

「顔が？　黒かったのですか？」

「そうや。それも、どう言うたらええのか。肌があって、その色が黒いのやない。何にもない虚空やから黒い。そういう黒さや。ちょうど夜の空が黒いのとおんなじでな。家の天井をやな、人の顔の形にくりぬいて、星の無い夜に見上げてやったらああいう感じになるやろうな。とにかく、そこに何かが〝有る〟という感じのせん黒さなんや」

「目とか鼻とか口はどうなっていたのですか」

「黒目が無《の》うて、全体がオレンジ色にくすんどったな。鼻はようわからん。口は……。ま、闇に、もっと深《ふこ》うに穴のあいたようなもんでな。とにかく、形は笑うとった」

恵心は深くため息をついた。

「わかりました。その大黒云々《うんぬん》のことは、大阿闍梨さま。とにかくしばらく伏せておくとしませんか。いずれ本山の書庫なりで、過去の護摩修法中に、似たようなことがあったものやら、拙僧が調べてまいります。あるいは本山の座主《ざす》さまにお伺いをたててもみようかと存じます」

「本山の座主？　ほっ。あんな破戒坊主に何がわかるもんかい」

「それよりも、この頓挫《とんざ》した十万枚修法をどうするかが問題でございましょう」

「ううむ。あと三日で成願やったのになあ」

「もう一度、挑戦なさいますか？」

「え……何やて？」

「いま一度、一からやり直されてはいかがですか」

「……なんで……」

「〝なんで〟って……。いいんですか、隆心さま。今回の護摩修法は、私どもも信者さんも、みんなでお止め申し上げたのに、隆心さまが、わしにはどうしても成さねばならぬ大願があるとおっしゃって。それで大々的に公告も打って始めたのですよ」

「わかってるがな」

「十万八千枚の護摩乳木は、信者の方たちがご厚意で。前日から斎戒沐浴《もくよく》なすって、朝は三時からお山にはいられて。商売もそっちのけで作ってくだすったんですよ」

「わかってるがな、そんなこと」

「それをですね。炎の中にまっ黒けの顔が見えたからって、顔に火傷して、七日目に中止になりました、では済まんでしょう。寺の将来はどうなります」

「けどなあ。普通、八千枚護摩行でも十分な荒行なんやで。それを一万八百枚ずつ七日間ぶっ続けでやった。これだけでもその辺のナマクラ坊主にはでけんことなんや」

「それはおっしゃる通りでございます」

たしかにそうだ。先に言ったように、恵心にも、たとえ八千枚の行だとてやりおおせる自信はない。隆心師は苛酷な断食修行の前行の後で、これを少くとも六日間は完璧《かんぺき》にやりおおせたのである。並の決意や自信でできることではない。その点では、恵心はおおいに師を誇りに思うことができた。

ただ、後が悪過ぎた。

力尽きて救急車で運ばれる、というのなら悲愴感《ひそうかん》があっていい。それを……。不動明王を見るはずのところが、まっ黒の大黒さんが出てきて、それを追っかけて炎の中に顔を突っ込んで火傷した。これでは世間の物笑いではないか。

そのあたりをやんわりとさとすと、さすがに隆心師も落ち込み始めたようだった。

「そうやなあ。やっぱり、読みが甘かったわなあ。もっと早目に来てもろうて、初日からちょっとずつでも撮《と》ってもろといたらよかった」

「え？　〝撮る〟とは、何の話ですか？」

「テレビやがな。今度の話はＮＨＫとのタイアップでな。ほれ、いま月一回の特別番組で〝日本の宗教〟いうシリーズやっとるやろう。あれで、うちの寺一本で密着取材の特番を撮る、という。そういうことやったら十万枚護摩行をやってみましょう、てなことになったんや。そしたらばな、本山とか先輩筋の坊主から、〝スタンドプレーや〟っちゅう横槍《よこやり》がはいってな。十五分ずつの四寺分割、〝密教のすべて〟いう企画に横すべりしてしもうたんや。それで、十日間密着でカメラ回すはずが、うちの取材は成願予定の十日目だけになってしもうた。修法頓挫したうえに、こんな火ぶくれの顔で出るわけにもいかず。こりゃ、今度の取

材はキャンセルするしかないわなあ」

「そんなお話があったんですか。私、一言も聞いておりませんでした」

「びっくりさしたろ思たんやがな。しかし、こういうのを〝上下《うえした》えらい違い〟と言うのやろいなあ……」

「上下……と言いますと？」

「そりゃ、今度の密教特集では、よその寺ばっかり報道されて、うちの寺はイメージダウンや。修法失敗して、信者も離れていきよるやろ。取材協力費もはいらへんがな。せっかく、テレビでぼぉんと宣伝して、信者増やして、本も書いて、本堂建て替えようと思うとったのになあ。これが上下大違いやのうて何とする」

「はあ……」

やはり、高野山大学に残って仏教史学の研究を続けるべきだった、と、恵心もこのときばかりはがっくりと肩の力が抜けた。

寺僧四人ばかりの破《や》れ寺じみたところだが、大阿闍梨の隆心という老僧が傑出した高僧だ、という噂《うわさ》を信じてここへ来たのだ。

十年も仕えてきて、いまだにえらいのやら馬鹿なのやらつかみかねていたのだが、つかめなかった自分が愚者であった。

本堂修理の費用欲しさに、テレビ局とグルになって十万枚護摩行を決意するとは。

明日にでも荷物をまとめてここを出よう。しばらくは高野山の先輩の所にでも居候《いそうろう》して身の振り方を考えよう。恵心は本気でそう決意した。

「庫裡《くり》の当番を視《み》てまいります」

力なく言うと、恵心は隆心師のもとを辞した。

肩の落ちたその後ろ姿を見て、隆心師はふいっと笑った。

「賢《かしこ》うて器《うつわ》もあるが、一本気でいかん」

それにしても……と師は思った。

さっきの炎の中に視たものは何だったのか。今までにあんなものを見たことは一度もなかった。

十六で仏門にはいってから六十余年。朝な夕なにメディテーションを続けてきた。瞑想《めいそう》世界で、真の無我に至るまでには、百鬼夜行に逢《あ》う。牛頭馬頭《ごずめず》、鬼、天狗、妖怪《ようかい》にも逢えば、故人の霊や昔想っていた女《ひと》に逢うこともある。

それらはすべて、自分の内在世界が作り出したものである。肉体には皮膚があり、血肉があって、なかなか自らの骨を摑《つか》むことはできない。観想を内へ向ければ、そこもまた同じことである。真我に行きつくまでには、びっしりと詰まった想念が、さまざまな層を成している。

内部への潜行過程でめぐり会う、魑魅魍魎《ちみもうりよう》、奇怪なイリュージョン、アニマ、鬼、亡霊。これらはすべておのれの魂の中での実在である。それらは、意識の表面層にまで浮かび上がらないまま増殖、融合、進化を成している。メディテーションの中でそうした存在に出くわすと、ときとして度肝《どぎも》を抜かれることがある。人が亡霊や妖魔を「外因性」の現象と取りちがえてしまうのはそういうときだ。

しかし、隆心師は六十年にわたる内観によって、これらの構造を熟知していた。隆心師ほどに、宗教家として、つまり「内世界のプロ」として齢《よわい》を重ねてくると、そうした内因外因の不可知論の限界さえ突破することができるのだ。理性によってではなく、一種の「官能性」によって、彼は突如現われた妖魔が「内なるもの」であることを見破ってしまう。内部世界の土によって作られた被造物は、どんなに偽装をこらそうとも、内部の土の「匂《にお》い」を放っているからである。

だから隆心師は、この世の摩訶《まか》不思議、霊も化物も転生も、すべてを実在として容認している。ただし、飽くまで人間の魂を領土とする「実在」として。

もっとざっくばらんに言えば、隆心師にとっては、オカルティックなものが「非在」であれ「実在」であれ、「どうでもいい」ことなのだった。自分が認める認めない、客観的科学が認める認めない。そんなことは師にとっては「放《ほ》っといたらよろしい」ことなのだ。宗教家としての師は、非在に対してであれ実在に対してであれ、自分が「功徳《くどく》をあらわし」、それによって人が少しでも楽になれば十分なのだ。隆心師は、もともと考えることが好きではない人間で、そのうえ、生来頭抜《ずぬ》けて頭のいい人間でもない。ただ、行動力と直観力だけは容《い》れものからこぼれるほど持ち合わせていた。

その、ずばぬけた直観力が、先ほどの炎の中の幻視以来、執拗《しつよう》に何ごとかを訴えかけてくるのだった。

炎の中に視た、虚空のごとく暗い顔は、師の内部の産物ではなかった。

それを見た眼と結像した脳の中に、いがらっぽい異物感があった。そして、それはいつま

でも消えなかった。

隆心師は、この感覚を説明できる言葉を自分の中に見つけることができなかった。自分自身にさえ説明できないこの「鳥肌」のようなものを、ましてや若い恵心に伝えられるわけがなかった。

「なんや、ややこしいもんがきよるんとちがうやろうか。……。ああ、ややこし」

隆心師は左手の三鈷《さんこ》（金属製の法具）で、耳の後ろをこりこりと掻《か》いた。

第Ⅰ部

われわれの仲間に損害を与えようものなら、それにふさわしい扱いを受けさせてやる。
必要なら、そいつを〝夜に食わせて〟やる。

（マリ、プール人の表現）

一

テレビ局の複雑に曲がりくねった廊下を進みながら、大生部《おおうべ》教授は、早くもうんざりした顔つきになって後ろを振り向いた。助手の道満《どうまん》光彦が、珍しそうに周囲を見回しながら、三歩ほど遅れてついてきている。

「さっきの守衛はたしか、右へ行った突き当たりを折れてすぐだって言ったよなあ」

「はい」

「ひょっとして、階数そのものを間違ったんじゃないのかな、我々は」

「いえ、先生。たしかに五階だって言ってましたよ。〝D控え室〟って」

「テレビ局にはタヌキが棲《す》んどるのか。化かされてるのかもしれない」

「うーん。タヌキはたくさんいそうですけれどね。うちの大学ほどじゃないでしょう」

明るい廊下は静まり返っていて、人気《ひとけ》もなかった。入り組んだ廊下に沿って、調整室や副調整室、編集室、ロッカールームなどが並んでいたが、そのどこにも人影はなかった。

「新しい建物なのに、どうしてこうややこしい造りなんですかね、テレビ局ってのは」

「嘘《うそ》かほんとかは知らないけれどね。わざとそうしてるんだって話は聞いたことがある」

「わざと？」

「ああ。クーデターが万一起こったときにね、生放送中のスタジオをいきなり押さえられないように、迷路状に廊下を組んであるっていうんだ」

「ほう。そういえば、以前、NHKにお供したときも、やっぱりこうやって道に迷いましたよね」

道満としゃべりながら廊下の角を曲がったとたんに、目の前が急に明るく広くなった。

そこは、大きなフロアになっていて、たくさんのソファとモニターテレビが並び、何十人という人間が群れていた。ソファの並んだ向こうには鏡台がずらりと何重にも立っており、オープンなメイクルームになっていた。何人かの女性タレントがパフを手に鏡をにらんでいる。その周囲を、インカムをつけた若いスタッフが忙しそうに走り回っていた。

中の一人が大生部の姿をみとめて走り寄ってきた。

「おはようございます」

「あ。どうも」

この夜中に、何が〝おはようございます〟だ。苦々しい気分で、大生部はあいまいな返事を返した。テレビに出るようになって、もう何年にもなるが、大生部はいまだにこの世界の慣習のあれこれになじむことができない。むしろ、〝なじむまい〟と、自分の中にガードを張っているところもある。

「先生の控え室はこちらになっております。ご案内いたしますので」

スタッフに導かれてメイクルームの横手の廊下を行くと、いくつかの小部屋が並んでいた。それぞれの控え室の扉に、出演者名を記したカードが貼《は》ってある。大生部はそれを横目で眺

めながらゆっくりと歩いた。

「Aルーム・小柳風太さま、石野ふるみさま」

「Bルーム・Mr・ミラクルさま」

「Cルーム・清川慎二さま」

「Dルーム・大生部多一郎さま」

「Eルーム・荒井統嶽さま」

大生部と道満がDルームにはいると、スタッフはいったんどこかへ走り去ってから、すぐにコピー紙をたばねたものを一部持ってきた。

「今日の進行表です。詳しい説明は後ほどディレクターが伺いますので。本番は一時半から、ということで、よろしくお願いします」

スタッフが静かにドアを閉めて出ていくと、大生部は時計を見た。

「なんだ。まだ十二時前じゃないか。一時間半もどうしろっていうんだ」

「ほんとですね。十一時半にはいってくれっていうから、タクシーとばして来たのに」

「いや、道満くん。局ってのはこんなもんだよ。最近は私も、腹さえ立たなくなってきた」

「そうですか？　顔が怒ってらっしゃいますよ、先生」

「いいから、そこの私のケースを取ってくれ」

大生部は、渡されたブリーフケースを開けると、中からウィスキーの壜《びん》を取り出した。ホワイトホースのハーフボトルだ。平らなボトルの中に黄金色の液体が三分の二余り満たされていた。栓をあけると、大生部はじかに口を当てて三口ほどラッパに飲んだ。

猫背になって火のような息を吐くと、大生部はネクタイをゆるめた。

「ほふっ」

「君もどうかね」

道満にボトルを差し出す。

「一口だけいただきます」

道満はボトルに形だけ口をつけると、大生部に返した。

「いいんですか、先生。出演の前に酔っ払わないでくださいよ」

「なあに。少し頭のネジをゆるめておいたほうが、私みたいな堅物《かたぶつ》にはちょうどいい。特に今日みたいなくだらん番組のときにはね」

再び口元へウィスキーを持っていく師の姿を、道満は痛々しい想《おも》いで眺めていた。

三年前に道満が大学院を出て、大生部の研究室に助手としてはいったとき、すでに大生部は明らかなアルコール依存症におちいっていた。研究室の大生部のデスクの中には、いつもワイルド・ターキーの大ぶりな壜が一本転がされていた。

古株の先輩助教授に聞いたところでは、ここ七、八年というもの、大生部は酒びたりの状態から抜けたことがないという。

それまでの大生部は、民族学の分野、なかでもアフリカにおける呪術医《じゅじゅつい》の研究で素晴らしい業績を示す少壮の学者だった。

おもに東アフリカの辺境で数年にわたって現地人と寝食をともにした彼のフィールドワークは、それ自体で貴重な資料だった。それよりも、彼が提示した共感呪術と民俗医療の論文

には、それまでにない鋭い直観と論理的整合性があった。そして、現地で収集した膨大なデータが、一見オカルト寄りの奇論とも思える大生部の理論を、科学的に立証するいしずえとなっていた。その論旨はかなり衝撃的なものだった。

簡単に言えば、大生部はアフリカをロケーションにとって、近代西洋医学以前に存在し、いまも在り続ける「呪術」や「魔術」の実効力を、〝カッコつき〟で認めたのである。

大生部の理論は、東アフリカの呪術を起点として、古今東西のありとあらゆるデータを援用する壮大なものだった。インドネシアの〝グナグナ〟と呼ばれる呪術、ブラジルにある〝マクンバ〟という呪殺宗教、日本の修験道《しゆげんどう》、密教から、ブードゥ教、フィリピン、タイの民間医療、アンデスのブルッホ（魔術師）に至るまで。空前の量の事象例が、大生部のしなやかな論理に沿って的確に援用されていた。凡百の民族学者はそれを前にして絶句するか無視するかしかなかった。すべては大生部の博覧強記と直観力、そして強固な意志力が可能にした「冒険」とも言えるフィールドワーク、によるものだった。

当然のように、学界の反応は冷たかった。

学際的な反論と呼べるものもないままに、大生部は「さわらぬ神」のような扱いをされることになった。

それに反して、マスコミの対応ぶりは過剰反応ともいえるものだった。大生部が自らの論文を一般向けに嚙《か》み砕いて書き下ろした単行本は、本人の希望したタイトルが「識閾《しきいき》下共感覚と呪術」というものだった。出版社がつけたタイトルは「呪術パワー・念で殺す！」なるものだった。完全な事後承諾である。刷り上がりを手にして、大生部は初めてこの業界のや

り口に気づいて歯嚙みした。

ただ、その本は三十万部近くも売れた。

ことあるごとに大生部はマスコミに引っ張り出された。その結果、大生部は大学の看板教授のような存在になってしまい、学部側としては非常に扱いの厄介《やっかい》な存在になったわけである。

結局、大学側は大生部に、教授一人助手三人の小さな研究室を与え、以降は介入もしなければ援助もしない、という姿勢を取り続けることになった。

東アフリカにおけるフィールドワークの続行の必要を痛感していた大生部は、毎年それ用の予算を申請していたが、削減はあっても増加はない。そんな状態が続いた。そこにきて大生部はついに腹をくくったのである。一般受けのする本を書き、テレビに出、そうした収益を研究室用のプール金に非公式にまわすようにしていった。それでも、大生部個人の力では数人の学者を長期間アフリカへ派遣するまでには至らない。そんな状況がここ何年も続いているのだ。

「学内の連中は、私のことを〝タレント教授〟って言うが……」

大生部は、またウィスキーのボトルを天井に向けて二口ほど含んだ。目のふちのあたりに、少し血の気がさしてきていた。

「〝タレント〟っていうのは才能のことだろう、道満くん。私にほんとうの〝タレント〟があるなら、いま頃《ごろ》はクルー全員でリフト・バレーあたりの村落の調査でもやっとるだろう。

大学の予算なんか当てにせずにね。ベストセラーを書いて、コマーシャルに出て……。大学なんてとこは所詮は足と予算の引っ張り合いだ。そんなものには見切りをつけて自力本願でいこうと思ったが、どうもいけないね。ねたみ屋の同僚が〝タレント教授〟呼ばわりするのはどうも過剰評価のようだ。テレビに出だして最初の頃は、自分の自尊心なんざ犠牲にしてとにかく研究費を作ってやれ。そんなおごりもあったんだが……。たかだか二千万円の金ができない。学者なんてものは、〝モチはモチ屋〟って言っても、ほんとにモチしか作れないもんだな」

大生部はウィスキーをもうひとあおりすると言った。

「もう、八年もアフリカに行っていない。追調査も何もなしだ。私のやっていることといったら、これだ。見たまえ」

大生部は、鏡台の前に置かれた進行表を道満の前に差し出した。

『きわめつけ・これが〝超〟超能力だ！』

タイトルにはそうあった。

「大学の連中の言ってることも、私には痛いくらいわかるんだ。こんな腐った番組に出ていて、学者でございと仲間に胸を張って言えるかね」

大生部は少し酔いがまわってきたようだった。

「でも先生。腐った番組かどうかは、出てみないとわからないじゃないですか」

「そんなことは、出演者を見ればわかるじゃないか。さっき、控え室の前をざっと通ったときに見なかったのか、キャストを。司会が小柳風太に石野ふるみだぞ」

「はあ……」

この二人なら道満も知っていた。小柳風太は小劇団あがりのタレントで、最初のうちは劇団の運営費を稼ぐためにテレビの仕事をしていた。それがいつの間にか転倒して、〃テレビ芸者〃に成り下がってしまった、そんなタレントである。粘着気質の、しつこい突っ込みだけが売りのような男だった。

アシスタントの石野ふるみは、アイドルから一転して「毒舌女」になったというので、目下人気上昇中のタレントである。毒舌といっても、要するに可愛《かわい》い顔立ちの彼女が「婆《ばば》あのたれ乳」といった下品な言葉を平気で使う、その落差だけの面白さだった。

「あと、清川慎二がいましたね。スプーン曲げの」

「彼とは二度目だ」

「あ、そうなんですか」

「目の前二十センチくらいのところでスプーンを曲げてもらった」

「やっぱり、曲がるもんなんですか」

「曲がった。と、そう私の知覚は認識した。そう答えるしかないな。なにせ、目の前でくねくね曲がったんだからね」

「すごいもんですね」

「ただね、道満くん。これは誰《だれ》しも思うことなんだろうが、曲がったからって何の役に立つんだ。そう思わんかね」

「まあ、それを言われればおしまいなんでしょうけど……」

「私はそのとき、面と向かって清川くんに尋ねてみたんだよ。これは、君にとって何か役に立っているのかねってね」

「どう答えたんですか、彼は」

「〝ナンパ〟に使ってます、だってさ。女の子の興味をひきつけるのにこれ以上のものはないそうだ」

「ははは。けっこう面白い奴《やつ》じゃないですか」

「六つのときに、ユリ・ゲラーの出ているテレビを見ていて、急にスプーンが曲がったのが始まりだと言っていたが。まあ、そういう特技がなければただの二十歳過ぎのガキンチョだよ。これは私も含めてみんな同じことだ。小柳風太には軽薄な突っ込みしかない。石野ふるみには下品な毒舌しかない。私には大学教授という肩書きしかない。これでもって、くだらなくない番組ができるかい？　君はどう思う」

「まだ、あと二人ほどいましたね、出演者が。ミスター、何とかという……」

「ミラクルだろう？　あれは昔からいる手品師だ」

「手品師ですか？」

「昔はよくお笑い番組に出ていたけれどね、最近はとんと見かけなかったのだが、ここ一、二年、〝超能力狩り〟というので再浮上してきた」

「〝超能力狩り〟？」

「ああ。アメリカに〝アメイジング・ランディ〟っていう、同じような奇術師がいるらしい。要するに、いわゆる超能力者のトリックを暴《あば》くことを売りものにしているプロの奇術師だな。

その日本版をやったところが、マスコミの需要が増えて、ここのところぐんぐん再浮上してきた」

「へえ。じゃ、今日はその超能力者対超能力狩りの一大対決ってことになるわけですね。すると、先生はレフェリーといった役どころですか」

「な？　くだらんだろう？」

大生部は、もうあまり残っていないボトルから、さらにウィスキーを一口飲んだ。

「もう一人、いましたよね。荒井なんとかっていう、むずかしい名前の人が……」

「そうだったかな。それは知らんが……。いずれにせよ、そういうものに出るわけだ。少しくらい景気をつけないことにはね。とにかく、君がついてきてくれるので大助かりだ。一人だったら、出番までに落ち込んでしまうところだ」

「いや、それは、助手ですから」

「いや、感謝している。研究だけでも忙しいのに。調査費捻出《ねんしゅつ》のためとはいってもね、こんなマネージャーか秘書がわりみたいなことにまで付き合ってもらってるんだ」

「とんでもないです。こういう世界は、僕らにとっては異世界ですからね。テレビで知ってるタレントを目の前で見ると、なにか不思議な気持ちになります」

「〝テレビと呪物《フエテイツシユ》崇拝〟って論文でも書いてはどうかね」

「ははは」

「君の苦になってないのなら一安心だ。安心ついでにひとつたのまれてくれんかね」

「はい。何でしょう」

「局の玄関を出て左斜め向かい側に夜中までやってるリカー・ショップがあるんだ」

大生部は、空になったハーフボトルの首をつまんで道満の目の前に差し出した。てらてらし始めた額《ひたい》に片手をかざして道満を拝み、彼の恩師は言った。

「すまんが、こいつをもう一本」

ややこしい局の迷路を戻って、やっと玄関口にたどりついた道満は、スクランブル交差点の信号に立ちどまって前方を眺め渡した。なるほど、左方斜め向かいに洒落《しゃれ》た造りのリカー・ショップがある。

道満は苦笑いした。何回行っても、テレビ局の場所さえうろ覚えなのに、先生はその周辺の酒屋と本屋の位置だけはきっちりと覚えている。道満は、〝こいつをもう一本〟と照れ臭そうに言った教授の顔を脳裡《のうり》に思い浮かべた。富士額が頭頂部まで後退して、前額部の異常に張り出したところがてらてらと光っていた。ああいう額は直観霊感に秀でた骨相だと、以前何かで読んだことがある。

その額の下には、もう少しでつながりそうになった濃い眉毛《まゆげ》と、ぽつんと小さな、一重の丸い目があった。鼻は、日本人には珍しいほどのワシ鼻で、その下にキュッといつもすぼまった「肛門《こうもん》」のような口がある。

異相だった。愛敬のある異相だ。

テレビに出て人気があるのはそのせいかもしれない。

大生部は、道満の知る限りでは、しらふでは人としゃべれないタイプの人間で、飲んだに

しても決してうまい話し手ではない。自分の専門外のことを尋ねられると、うろたえて目は中天を向き、

「ええとですね、あれはそのですね」

といった無意味な言葉が何回も続く。その後、

「ま、たとえていえばですね。これは少し話が違うかもしれないが、古代ヘレニズム文化ではこういうことがありまして」

と、まったく見当はずれの話をし始める。結果、

「え……。私は何の話をしようとしてたんですかね」

と同席者に尋ねたりする。

大生部がたびたびテレビのクイズ番組に呼ばれたりするのは、この素頓狂《すっとんきょう》な持ち味が、たくらまれたものでないせいだった。口八丁のタレントたちは、最初はとまどったものの、すぐに大生部のこのキャラクターを見抜き、斬新《ざんしん》な「おもちゃ」に仕立て上げた。大生部が、

「あのですね」

をくり返している間に、わざと次の話題へ移っていって、気づいていない大生部を嘲《あざけ》ったりする。あるいは、大生部が、

「これは少し話が違うかもしれないが」

とやり出すと、全員で即座に、

「違う！」

と封じ込めたりする。

いわば、大学教授が「いじめ」の対象になってタレントにおちょくられるところに、この「先生」のテレビ的価値があった。

大生部自身はそうした構図に早くから気づいていて、極力自分をマスコミに慣れさせないように注意していたフシがある。たとえば今日のように若いスタッフから夜中の十一時に、

「おはようございます」

と言われて、同じ言葉を返すことが、自分の価値を損なうものであることを、教授は熟知しているのだ。そうしてまで自分の「商品価値」を持続させようという、優れた直観そのものを道満は痛々しく感じていた。

大生部は骨の髄《ずい》からの学者なのだ、と道満は信じている。大生部が、自分を擦《す》れっからしにしてマスコミと学界両方が認めるピエロに成りきれないのは、彼が本質的に学者であるせいだった。彼は、東アフリカになんとしても第二次の調査隊を出したいのだ。そのためにピエロの舞台に立って金を稼ごうとしているのだが、どうしてもピエロそのものにはなれない。ピエロの素質がなく、ピエロになれない矜持《きょうじ》もあるからだ。そして、そのあいまいさがあやういところで大生部にマスコミの上での綱渡りをさせている。すべてを読んだうえでの綱渡りである。

「先生は、調査隊の費用が捻出できたとしても、今度はご自分ではお行きにならないだろう」

道満はそこまで読んでいた。骨の髄からの学者である大生部は、自分の「虚名」によって学際的調査の「実」が不当な評価を受けることを一番怖《おそ》れるはずだ。そうなっては自らが一

番毛嫌いする「売名」を成した意味がなくなってしまう。

先生は、アフリカにも行かず、ただ酒を飲み続けるだろう。リカー・ショップで手に入れたハーフボトルを両手に持ちながら、道満はなおも考え続けた。

自分が虚名を売ることで調査費を稼いでいる。その無念さのためだけに大生部はアル中になったのではない。道満は知っていた。教授は何ひとつ口にしなかったけれど、古株の先輩が教えてくれた。

大生部は、八年前に調査地の東アフリカで自分の娘を死なせているのだ。それも不可解な事故で。娘の志織《しおり》はまだ七歳だった。サヴァンナを上空から鳥瞰《ちょうかん》しようという、観光客向けの気球が落ちて娘は死んだ。教授は深くは語らず、周りの誰も強《し》いて聞こうとはしない。

ただ、教授の深酒が始まったのは明らかにこの頃を境としている。

それまでの教授は、公的な調査以外にも、個人でアフリカの奥地へ分け入って調査を敢行していた。それこそ領事館が必死で止めるほどの無茶をやってのけていたのである。

娘の死以降、そうした活動はぱたりと止《や》み、教授の活動は公的な調査隊を組むための予算獲得活動と、個人的な予算のプールのみに切り換えられた。

道満が、大生部にアフリカ行きの意志なしと考えたのはこのせいである。学術的調査への希求とは別に、大生部の中ではふたつの意志が育っているはずだった。つまり、「虚名をはせた自分が同道してはいけない」という思いと、「娘を失った地へ二度と行きたくない」という心とである。

局の控え室へ戻ると、大生部の前にとんでもなくでかい男が座って話しかけていた。年の頃なら四十を少し過ぎたところだろうか。道満はその男を見た瞬間、局の廊下を通りがかったプロレスラーか何かを教授がミーハー気分で引っ張り込んだのではないか、と想像した。身長は百九十センチ近くあるのではないか。きちっと着こなしたスーツの、首、肩、脇《わき》のあたりの布地が、盛り上がった筋肉のためにパンパンに張り詰めていた。

戸口の道満の姿を目にして、大生部はほっとしたように手招きした。

「遅かったな。プロデューサーとディレクターがあいさつに来てらしてるんだ」

「え？　プロデューサーと……？」

大男の陰から、もう一人の男の姿が現われた。どうやら、大男の右体側におおわれていて、背中がすっぽり隠されていたらしい。かといって別に小男だというわけではない。やせぎすのその男は、長い髪をかき上げつつ名刺を出した。

「お世話になっております。ディレクターの水野です」

道満は、左手に持ったウィスキー壜の紙袋を後ろに隠しながら、右手で胸ポケットの名刺入れを探った。

「私のね、研究助手をしてくれとる、道満くんです。天才的な学徒なんだが、今日はアル中教授のカバン持ちをさせてしまった」

大生部が口を添える。

大男が立ち上がった。

「プロデューサーの馬飼《まがい》です。どうも」

馬飼は名刺を渡した後、ごつい掌《て》を差し出して握手を求めてきた。道満は、相手の顔を見上げながら、なんとなく腹が立ってきてその掌を思いっきり握ってやった。

馬飼は大げさに、

「あいててて っ」

と顔をしかめて見せた。

「どうも、たいへんな力ですな。学者さんってのは非力なもんだと思ってましたが。どうも先生はたいへんな助手をお持ちで」

「ああ。道満くんはね、空手でけっこう鳴らしたらしい。文武両道ってやつでね。うちの大学では珍しい」

「先生。僕は少林寺です」

「……え?」

どうも大生部は文武の「武」の字には興味がないらしい。にこにこしている。

大男の馬飼のほうはそうではなかった。

「ほう。少林寺ですか。それはたのもしい」

薄い眉の下の目に、暗い光が一瞬やどった。

道満は背がぞくりとした。さっき握った馬飼の掌。明らかに相手はたいした力は入れていない。なのに、握力七十キロの道満と同じくらいの圧力を感じた。しかも、指骨第三関節のあたりに軟骨のような手触りのタコができていた。

「道満先生は、タッパもあるし、美男子でらっしゃる。ぜひ一度、うちの局で何かお付き合

いさせてくださいよ。テレビ向きですよ、先生は。今日はゆっくり見てってらしてください」

道満は、あいまいに笑いながら、相手の目を見た。馬飼は、でかい体に似合わないような満面の笑みを浮かべていたが、目だけが笑っていなかった。

「本番はいります。五、四、三」

三まで数えると、フロアディレクターは残りの「二、一」を指で示し、サッとキューの手を振った。

司会の小柳風太と石野ふるみ、そのまん中に超能力青年・清川慎二が板づけになっている。赤いライトの点《とも》った二《に》カメに向かって、三者一様に微笑《ほほえ》みかける。小柳が話し出す。

「さあて。新春一番、春一番の大特番ってことで。わたくし普通の能力もままならないという小柳風太と、舌の方にだけ超常的能力があると巷《ちまた》で噂《うわさ》のこの人」

「石野ふるみです。……ちょっと何よ、その舌の能力って」

「口の中でサクランボのあのツルを結べるとか」

「やだ。そんなことできないけど、こんなことならできるわよ」

石野ふるみは、小柳の耳元へ唇を近づけると、何ごとか二言三言ささやいた。とたんに小柳は大仰《おおぎょう》にずっこけた。

「うわっ。そ、そんなこと言われて、おれ、もう二度と立ち直れないよ」

スタジオ内に笑い声が響く。ホリゾント前に組まれたセットの反対側に、五十人ほどの視

聴者が仕込まれていた。真夜中の録画だというのに若い女の子が多い。

「え、今日はですね。そういう、ふるみちゃんみたいな、耳元で人の性的弱点をささやくという、卑怯《ひきよう》な能力ではなく」

また笑い声がこだました。

「ほんものの超能力。きわめつけの超常現象を見てもらおうということで……」

「えー？　また超能力？　あたし、もう飽きちゃったぁ」

石野ふるみがさっそく毒舌娘ぶりを発揮する。小柳はあわてた様子で、

「まあまあ、ふるみちゃん、そう言わずに。今日は何たってきわめつけなんだから」

「ほんとに？」

「ほんともほんと。ところで、ふるみちゃんなんか、若いからユリ・ゲラーなんてあんまり知らないだろう」

「うん。あんまり知らない」

「フランスのクロワゼは？」

「全然知らない」

「じゃ、誰だったら知ってるの？」

「うーん。清川慎二くん」

そのとたん、それまで小柳と石野の間にはさまれてにこにこ笑っていた清川慎二にカメラが寄った。小柳の裏返った声がする。

「はっ！　君は清川くん。いつの間にここに」

　スタジオの客がゲラゲラ笑う。

　清川は、わざとらしく驚いたふりをしながら、

「はっ。僕はどうしてここにいるんですか」

　また笑い。

「局に呼ばれたから来たんじゃないの？」

　石野ふるみ。さらに大きな笑い。

「ああ、そうなのか。テレポーテイションしたのかと思ったら、ちゃんと局の車で来てたんだ」

　道満はその様子を、スタジオの端のほうにカメラに映らないように並べられた、関係者用のパイプ椅子《いす》に座って眺めていた。

「なんだ、あいつは。まるっきりタレントじゃないか。なにか勘違いしてるんじゃないのか」

　まだカメラの当たっていない別ブースに座っている大生部教授の居心地悪そうな様子を見ると、よけいに清川への反感がつのった。

　大生部の横には、きんかん頭の六十近そうな男が座っていて、じっと清川のほうを凝視していた。この男がミスター・ミラクルだろう。顔に見覚えがあった。小さい頃に何度かテレビで見た記憶がある。ハトが出ると予告しておいたのにガマガエルが出てくる。その後でハトは別のところから出てくる。そんなコミカルなショーをやっていた。

そのときのとろけるような笑顔と、いまの清川をにらんでいる顔とは別人のようだが、胡座《あぐら》をかいた小鼻とたっぷりした福耳に、たしかに昔の面影がある。

セットフロントの三人、石野・清川・小柳のテーブルに、バニーガールがコーヒーを運んできた。

小柳は、コーヒーにミルクを入れてかきまぜながら、さりげなく清川に尋ねる。

「最近、どうなの。能力のほうは」

「そうですねえ。段々、質が変わってきたっていうか。物理的にものごとをどうするっていう段階から、とんでもなく変わってきたみたいな」

「ていうのはどういう?」

「うまく言えないけど。たとえば、同じ鉄五百グラムでも、それがペンチならそれは五百グラムのペンチでしょ?」

「当たり前じゃない」

「でも、同じ五百グラムの鉄でも、それがラジオだってこともあるわけじゃない」

「鉄でラジオは作らないよ」

「だから、たとえばの話ですよ」

「うん、言ってる意味はわかるような気がするけど。だから、前は物理的に物を変質させちゃうような力があったのが、その力の質が変わってきたと」

「わかりやすく言えばそういうことでしょうね。いろんなところからの情報をアクセプトできるような。エネルギーの形が変わってきたんだと思う。精神的な進化にともなって」

「いろんなところからの情報ってのはどういうこと？」

「うーん。たとえば宇宙人からとか、霊界からとか、別の次元からとかかな」

「ほう。じゃ、今までのスプーン曲げるとかそういう力はなくなっちゃったわけ？」

「そんなことないすよ。前よりもっとラクになったってゆうか……」

「じゃ、これ、やってみてよ」

小柳は、自分のコーヒーをかきまわしていたティースプーンを、清川の前に無造作に差し出した。

清川はそれを手にとって、一瞬見た後、

「いいっすよ」

と軽く言い放った。

彼はスプーンの首のところを持つと、軽くこすり始めた。カメラがその手元をアップで映す。

十秒ほどたつと、清川が持ち添えたスプーンの首あたりから、明らかに柄の側のほうがぐんにゃりと曲がり始めた。

「ありゃ？」

周りの人間が騒ぐ間もないうちに、スプーンの柄は頭と直角をなすほどに曲がってしまった。

「こんなもんでいいか」

清川はテーブルの上に、九十度近く曲がってしまったスプーンを音立てて置いた。

小柳と石野ふるみは、ただただぽかんと見とれていた。

二、三秒間置いてから、やっと我に返った小柳が、ライトの点《つ》いている三《さん》カメのほうを向いて言った。

「いやはや、驚きました。えっと、私、何かセリフ用意してたんですが、あんまり間近で見たもんで……。あ、思い出しました思い出しました」

小柳はここで背筋をぴしっと張ると、様子をつくろってカメラに向かって低い声で言った。

「釣りはヘラ鮒《ぶな》に始まってヘラ鮒に終わると言いますが、超能力の世界には戻るところはありません。スプーン曲げがヘラ鮒なら、今日は皆さんに、キングサーモン級、いや、クジラ級の超能力をお見せしましょう。その前に、コマーシャル！」

一瞬の静寂がほぐれると、スタジオの中を人が走り回った。道満は教授とミスター・ミラクルが次のコーナーで紹介されるはずのブースを見やった。ミスター・ミラクルは、手元のメモ帳の上に何やら満足気に走り書きをしていた。

大生部は、先ほど道満が渡したハーフボトルを、人前もかまわずぐびぐびと口飲みしていた。この先生はとにかく、驚いたといっては飲み、悲しい嬉しい楽しい恥ずかしいといっては飲む。くやしいときも飲むし、怖いときにも飲む。とにかく、何かあったら飲む。一番飲みたがるのは何といっても「酒がないとき」だろう。困ったような、愛《いと》しいような、心配なような。道満はスタジオの傍で、複雑な気持ちで大先生の酔態を見守っていた。

コマーシャルが明けてから、いよいよ本格的に番組は始まった。

小柳の神妙な顔がアップになる。

「さて、いよいよ春の特別番組、『きわめつけ・これが〝超〟超能力だ！』をお送りするわけですが、超能力云々《うんぬん》に関しては、一九七四年のユリ・ゲラー登場以来、たいへんな論争が巻き起こって、いまもなお続いておるわけでございますが。そんなものインチキだと言う人もいれば、絶対にあると言う人もいる。あるいは、自分の目で見ない限り信じないと言う人もいるわけでして。ひとことで言ってもはや収拾のつかない状況にあると言ってもいいでしょう。その辺、ふるみちゃんなんかはどう思いますか」

ふるみの顔が横手からアップになる。

「だって、超能力があるもないも、いま、目の前で曲がったじゃない、スプーンが。あれって、局のラウンジから持ってきた普通のスプーンよ。それに、コーヒーが三つ来て、どのセットが誰のとこに来るのかもわからなかったわけでしょ。しかも、清川くんは、自分の前のスプーンじゃなくて、小柳さんが何気なくふっと出したスプーンを曲げちゃったんじゃない。それを目の前で見てて、超能力があるもないもないじゃない。ないって言ってる人のほうがばっかみたい」

「なるほど、なるほど。でもね、ふるみちゃん。世の中にはもっともっと疑《うたぐ》り深い人だっているんだよ。おそらくはテレビを見ている人の中にもたくさんそういう人はいるだろう。今日は、そういう人の代表、といっても、我々素人《しろうと》じゃなくって玄人《くろうと》中の玄人、お二人に来ていただいて、目の前でそういう超常現象の実像を見きわめてもらおうというわけだ。まずは、ご存知のベストセラー『大呪術』が五十万部突破、民族学の大生部多一郎教授！」

大生部の座っていたブースにライトが当たった。フロアディレクターが手を振り回す。仕込まれた五十人の見物者が拍手をする。

「どうも先生」

「ああ」

大生部は、〝ああ〟と馬鹿みたいな返事をしてしまった自分に、いきなり動転した。

「先生は、呪術などについてのベストセラーをたくさん書かれてらっしゃいますけれども、ひとことで言って超能力というのはどういうものだと考えてらっしゃいますか」

大生部は空をにらんだ。

「ひとこと!? ひとことで言うというのは、そうだなあ……。つまり、あれでしょう」

小柳が、〝やれやれ〟というゼスチュアをしてみせる。小柳はそれでも、大生部の回答を待っているが、石野ふるみのキャラクターはそれを許さない。いきなり自分の太腿《ふともも》をパンと叩《たた》いて、

「もうっ！ 先生は。遅いのは牛でもするわよっ!?」

これに驚いたか、大生部は半ばロレツの怪しくなった口でこう答えた。

「しかしだねえ。超能力というのはそれだけで三文字あるわけで。漢字というのは表意文字だからこれだけでいわば〝三言〟だ。三言あるものをひとことに……」

言いかけているところへたたみかけて小柳が、

「はい、大生部教授でした」

大爆笑が起こった。

「では、次のオブザーバー。この方はシビアですよ。プロマジシャン歴四十年。最近では〝超能力狩り〟と異名を取って、全国のエセ・サイキッカーたちの恐怖の的となっていることの人。ミスター・ミラクルですっ」

禿頭《はげあたま》のそのオヤジは、拍手に少し驚いたような顔で頭を下げ、目をしばたたかせた。

「ミスター・ミラクルは、とにかく超能力というものは一切存在しない。すべてはトリックであるという論拠に立って活動をなさっておられます。いままでにインチキを暴いたエセ超能力者の数が……」

「おい、ちょっと待てよ」

と、清川慎二が言った。

「ん？　待ってください」

と、ミスター・ミラクルが言った。この二人の言葉は同時に発せられた。

清川とミラクルは一瞬見つめ合ったが、先に口を開いたのはミラクルの方《ほう》だった。

「私は、超能力など存在しない、と言ったことは一度もありません。言っておることはただひとつです。現在、超能力とされて、ロシア、中国、アメリカ、遅ればせながら日本でも研究されている能力にはおおまかに言って次の四種類があります。一。テレパシー。これは皆さんご存知でしょう。二。クレアボワイアンス。透視能力です。三。プリコグニシオン。予知能力です。四。サイコキネシス。念で物を動かす力です。もちろん、心霊現象や宗教的奇跡にまで広げれば要素は際限なく広がっていきますが、私の追求しているのは個人の持つ超常的能力のことですので、先の四つでだいたいのことをカヴァーしているでしょう。私の言

っていることは、超能力否定論ではありません。ただ、すべてのこうした事象で、トリック、マジックで再現不可能なものはひとつもない。そう言っているのです」

清川がしんねりとミラクルをにらみつつ言った。

「それって、結局、暗に超能力なんてトリックだって言ってるんじゃないの?」

「そうではない。トリックで説明のできない現象は、古今東西ひとつもない。そう言っているだけです」

清川はそれを聞くと、凶悪な形相になって立ち上がった。

「じゃあ、手品屋さん。おれがいまからやることをトリックで説明してみなよ」

スタジオがシンとなった。

大生部は、カメラに映されているのもかまわずに、ウィスキーをあおった。

憤怒《ふんぬ》の形相で立ち上がった清川は、ポケットから財布を取り出し、一万円札を一枚抜いた。

「奇術屋のおじさんが、さっき得意そうに言ってた〝サイコキネシス〟って奴を見せてやるよ。カメラさん、もっと寄って。しっかり映してよ」

清川は、スタジオの中ほどにセットされた小ぶりの丸テーブルに歩を進めた。

三台あるカメラのうち、二台が一斉《いっせい》に寄っていく。

清川は、ていねいに一万円札のシワを伸ばすと、テーブルの中央に置いた。

両手を机の上にかざす。テーブルの上、四十センチほどのところに両手は静止している。

清川は火の出るような目つきで、札の中央をにらんだ。

十秒ほどたった頃、札が左の方へ二センチほど、音もなく動いた。

「きゃっ。動いたっ」

石野ふるみが素頓狂な声を立てた。

その叫びと同時に、札はそのまま滑るようにテーブルの上を移動し始めた。

押し殺し気味の唸《うな》り声が、スタジオのあちらこちらからもれた。

一万円札は、なおも移動を続け、テーブルのふちからもう少しで落ちるところを、清川が右手で押さえて止めた。

「これはすごい」

小柳風太が感嘆の叫びをあげると同時に、スタジオ内に一斉に拍手が起こった。

「念で物を動かす、通称PKと呼ばれている現象ですが、実際目の前で見るのは私も初めてです。清川くん、こちらへ戻ってきてください」

席に戻った清川に、小柳風太がたたみかけるように質問する。

「いまのは清川くん、やっぱり〝気〟のようなもので動かしてるわけですか？」

「うーん。て、いうよりは、たとえば二十秒後に、机の端まで移動しちゃってる一万円札を心に想い浮かべるとか。その二十秒後の世界へ、一万円札と一緒に移動していくとか。そんなようなイメージですね。かざした手から物理的な力が出て、それでもってお札を動かすとか、そういうもんじゃないです」

「なるほどねえ。で、いまはたまたま一万円札でしたけれど、やっぱり軽いもののほうが動かしやすいわけ？」

「そうですね。僕の力がまだ弱いせいもありますけど、やっぱり軽いもののほうが」

「なるほど。さて、テレビの前の皆さんもびっくり仰天なさってらっしゃると思いますが、スタジオのゲストにもご意見を伺ってみましょう。まず、大生部教授。いかがでしたか」

大生部は、モニターテレビにいきなり映った自分の顔に仰天したようだった。

「え？　何かね」

「いまの清川くんのＰＫ、念動力を見て、どう思われました？」

「うん。それは、たしかに動いとった」

「先生のご研究の専門は呪術ですが、呪術師の中にも、こういう能力を示す者がいましたですか」

「うーん。目の前で物を動かしてみせたり、ということは、あまり、というかほとんどないねえ。たとえば、ウガンダのある部族なんかでは呪物を……これはつまり、呪《のろ》いを相手にかけるための、日本で言やあワラ人形みたいなものなんですが、こういうものを相手の家にこっそり隠したり、相手の畑に埋めておいたりすることがある。〝エケヤ〟と言うんですがね。呪いをかけられた者は、この〝エケヤ〟を探し出して処分してしまわないといけない。で、占い師の所へ行く。占い師は〝アジョキット〟と呼ばれる霊を使って、この〝エケヤ〟を探し出し、占い師の所まで運んでこさせます。これなんか、物質移動と言えば言えるんだが。どうもねえ。占い師が、自分の家のどこかからいきなりハイエナの骨かなんか出してきて、『これがおまえの畑に埋められていた呪物だ』って言うんですからねえ」

「しかも、霊がそれを見つけて運んできたんだと」

「その現場を見ることができない以上、学者というものは、断定はできないものなんですよ。

いかにバカバカしくてもクロだとは言えないし、逆のことも言えません」

「でも、いまの清川くんの場合は、目の前で動いたわけですよねえ」

「うん。たしかに動いたな。手はふれていなかった」

「さて、そのあたり。プロのマジシャンであるミラクルさんは、いまの現象をどうご覧になったんでしょうか」

会話をふられたミスター・ミラクルは、入道頭をつるりとなでながら、困ったような笑いを浮かべていた。

「いまの一万円札の件をですか。いや、何をどう言ったらわかってもらえるのかな」

「ミラクルさんの持論によると、世に騒がれている超能力の中で、奇術を使って再現できないものはひとつもない、と。そういうことですよね」

「そういうことです」

「では、いまの念動力のような現象も、奇術だと」

「何度も言いますが。奇術・トリックだ、とは私は言いません。奇術でもできますよ、と、こう言っているのです」

「おっかしなことを言うよなあ」

清川が天井を向いたままの姿勢でつぶやいた。

「インチキだと思ってるのならはっきりそう言やあいいじゃないか。持ってまわったような口ばっかりきいてさ。喧嘩《けんか》する度胸がないならこういうとこへ出てくるなよな」

「清川くん、まあまあ」

小柳風太は大仰な仕草で清川をなだめた。

「とすると、ミラクルさん。さっきのような現象は奇術で十分再現できると」

ミラクルは相変わらず笑いながら、困ったように言った。

「いや、再現できるか、なんてことじゃなくて。私はあまりにも初歩的な事象がいきなり出てきたので、とまどっているんですよ」

「初歩的な、と言いますと？」

「物の移動、浮遊、消失、転送なんてのは、マジックの基礎ですからね」

「では、ミラクルさんも、あれと同じことができると」

「では、説明も加えてやってみましょう。ただし、清川くんとまったく同じことは私にはできない」

「と言いますと？」

ミスター・ミラクルは、内ポケットから財布を取り出しながら言った。中身を見せて、

「実は私、一万円札を持っていない」

笑い声が湧《わ》いた。

「仕方がないから、千円札を使います」

ミラクルは、先ほど清川が使った丸テーブルに歩み寄ると、その上に千円札を置いた。

「マジックでは、サイコキネシスを演じるときにも、いくつかの方法を使います。その場の状況に応じて使い分けるのです。たとえば、相手が何も疑っていないような人たちの場合。しかも時間が昼間で、場所は喫茶店。何の仕掛けもできないようなときにはこうします」

ミラクルは、千円札を中央で折ると、屏風《びょうぶ》のような具合に、テーブルの上へ立てた。

その、立った屏風の前方にミラクルは両手をかざした。

精神を集中しているのか、ミラクルは固く目を閉じる。

五秒ほどたったとき、千円札の屏風が音もなく動き始めた。

石野ふるみの、

「あっ」

という声が響いたきり、スタジオの空気が凍りついた。

千円札の屏風は、約二十センチほど前に進むとピタリと動かなくなった。

「いまのは、私が〝鼻で吹いた〟のです」

しんとしたスタジオにミラクルの声がとどろいた。

「吹いた？　息で動かしたんですか？」

小柳風太がうわずった声で訊《き》いた。

「息で吹いて動かす。口で吹く。気合いをかけるふりをしてふりおろした掌の風圧で動かす。いずれも、もっとも原始的で、しかも強烈なトリックです。空気の動きというのは目には見えませんからね。しかも、我々がそんなバカみたいなことをするとは誰も思っていない。しかし、トリックというのはもともと〝バカみたい〟なものなんですよ。知ってしまえばね」

ミラクルは、屏風状にした千円札のシワを伸ばし、逆折りにしたりしてていねいにまっ平らに戻した。

「では、こういうのはどうでしょうか」

言ったとたんに、テーブルの上の千円札が二十センチほどヒラヒラと舞い上がった。ミラクルは机の上三十センチほどのところに両手をかざしていたが、その手の位置はぴくりとも動かないままだった。なのに札は宙に舞い上がったのだ。

スタジオ中に歓声があがった。

「いんちきだ！」

清川が席を立って叫んだ。

ミラクルは清川を一瞥《いちべつ》すると、静かに言った。

「そ。いんちきです」

ミラクルは、ふところから小さなハサミを取り出すと、宙に浮いたままの札の手前、十センチほどの空中をぱちりと切ってみせた。とたんに札は宙を舞って再び机の上へ落ちた。

「糸を使ったのです。これは、オキトという天才マジシャンの〝フローティングボール〟以来、マジックの常道となっています。通常は暗い舞台をバックにして黒い糸を使いますから、かなり重いものでも持ち上げられますが、こういう明るいところでは私はこれを使っています」

ミラクルは自分の肩口のあたりに手を当てて糸をはずし、目の前で両手をかざして張ってみせた。

「カメラさん、寄ってください」

二台のカメラが寄って、ミラクルの手と手の間を映した。そこには何も映らなかった。

「うーん。映らんですねえ。テレビの画像の走査線密度では、これは映らんのですね。肉眼

であれば、四、五十センチくらいまで近づけばわかりますが。これは女性のストッキングの糸です。黒いストッキングの糸を抜いて使ってます。端っこを首の第一ボタンのあたりにつけておく。そして次に、首の後ろ側をまわして、右手の指。端はこうして千円札なら千円札に貼りつけます。つまり、滑車《かっしゃ》と同じことですね。体の何ヶ所かに支点になる部分を設けておくわけです。そうすると、手を一定にかざしていても、こうして上体をそらすだけで」

また千円札が宙に浮いた。しかも今度は、ミラクルの上半身の微妙な動きによって、札が〝踊っている〟ように見えた。

失笑と同時に拍手が起こった。

「でも、私思うんだけど」

石野ふるみが口をはさんだ。

「何かで読んだんだけど、ロシアなんかでもESPの研究してるじゃないですか。ああいうのって、大学の実験室で厳重に監視された状況でやってるわけでしょう。たとえば念で物を動かすにしても、いまみたいな状況じゃなくて、机の上の物にガラスケースとかかぶせて、糸とか息とか使えないようにしてあるわけじゃない。それでも、念で物が動くってのは実証されてるわけだし」

ミラクルが石野ふるみに強い視線を放った。

「『実証されてる』とおっしゃったが、それはどこの大学の何という学者が証明したのですか」

ふるみはうろたえた。

「そんなことまで知らないわよっ」

清川が助け船を出した。

「いや。僕も、具体的なことをどうこう言われると弱いけれど。旧ソヴィエトの有名な超能力者が、何とか夫人っておばさんだけどね。ガラスケースの中の時計かなんかを念力で動かしてるフィルムを見たことがある。ケースの中の空間は遮断されてるんだ。それでも中の物は動いた。あんたはこれもマジックで説明できるって言うのかい」

「そうよ、そうよ」

石野ふるみが清川を応援する。ミラクルはまた、困ったように頭をかいた。

「その……。具体的にどこの何ともわからない、出自のはっきりしないフィルムを例にとって、どうだどうだ、と言われても私は困るわけです。理論的に説明できないわけでは決してないんですがね。たとえば、ガラスケースを上からぴったりかぶせられている。息も糸も使えない。しかし、それだって、中の物が時計のような金属質のものであって、机の板が良導体の材質であれば、簡単です。膝頭《ひざがしら》に磁石をつけて動かせる」

「いい加減にしろよ」

清川が机を手で打った。

「じゃあ、ガラスケースの中身が、さっきのあんたの千円札だったらどうなんだい。何の小細工もできないガラスの中の千円札を、あんた、トリックで動かせるのか。磁石で紙は動かせないぜ」

全員の視線がミスター・ミラクルに注がれた。

ミラクルは別にひるんだ様子は見せなかった。

「いいですよ。何かそういうケースのようなものでもあれば、ここでお目にかけよう」

小柳風太が声をあげた。

「こいつは面白くなってきたな。スタッフの誰か、あれを持ってきてよ。いつも抽選用のハガキなんかを入れる透明のケースがあっただろう。あれならピッタリだ」

中央丸テーブルの上に、アクリル製のケースが運ばれてきた。

「ではやってみましょう。どなたかまずケースに仕掛けがないか、見てください」

石野ふるみがケースを上下に返しながら調べ始めた。

「仕掛けも何も、局の備品をスタッフが取ってきたのに、仕掛けのしようがないじゃない」

「では次に、私の千円札を調べてください」

ふるみは今度は丹念に、手渡された千円札を調べている。

「何も変なところはないわ。古くて少しくたびれたお札だけど。にせ札ではないわね、少くとも……」

「いいですね？　ではやってみます」

ふるみの手から千円札を受け取ると、ミラクルはそれを無造作にテーブルの上に置いた。

「ケースをかぶせてください」

ふるみの手でケースがかぶせられた。

ミラクルは両手をこめかみに当てて、目をかっと見開き、ケースの中の札を見つめた。

「てぇいっ」

その口から気合いが発せられた。

ほとんど同時に、ケースの中の札は、中央から左方向へジリッと動いた。

「あっ」

という叫びがスタジオのあちこちで起こる。

その間も札は少しずつ休まずに動き続け、ついにはケースのついたてに当たってやっと止まった。

「どうですか？　糸を使ったり磁石を使える状況でないのはおわかりでしょう」

ケースから千円札を取り出して、自分の財布に戻しながら、ミラクルは小柳風太と清川のほうを見た。清川はくやしそうに目をそらした。小柳は身を乗り出した。

「私には、まぎれもない超能力に見えましたけれど。それでもネタのあるトリックだとおっしゃるんですか」

「もちろんです」

「いったい、どういう手を使ったんですか」

「これはあんまり教えたくないな」

「職業上の秘密という奴ですか」

「というよりは、あんまりバカバカしいトリックなんでね。テレビを見ている人からバカにされる」

「バカになんかしませんから教えてくださいよ」

「実はさっきね、私、この近くの中華料理屋でラーメンを食っていた。その目の前をこいつ

がですな」

ミラクルは、財布からもう一度さっきの千円札を取り出し、カメラに向かってそれを裏返してみせた。

スタジオ中から失笑と悲鳴が起こった。

千円札の裏側には、体長一・五センチほどの小さなゴキブリが、両面テープでくっつけられてもがいていた。

「テーブルの上に札を置くときに、こいつを貼りつけておいたわけで。習性で、しばらくは用心してじっとしていますが、すぐに動き始めます」

「くっだらねぇ」

清川が冷笑をあびせた。

「そう。実にくだらないトリックだ。だが、私がしぶしぶタネあかしをするまでは、君だって首をひねっていたんじゃないのかね。人間というのは、トリックがバカバカしければバカバカしいほどひっかかるものなんだよ。ことに学者先生なんてのはそうだ。まさか相手がそこまで卑劣でくだらんトリックを仕掛けてくるとは思わないからね」

清川は、ふてくされたように横を向いて、

「やってられないや」

とつぶやいた。

しらけた空気をとりなすように、小柳風太がカメラに向かって話しかけた。

「さて、しょっぱなからたいへんなことになってきましたが、ＣＭをはさんだ次のコーナー

では、もっとたいへんな人物が登場します。山の中で長年の行《ぎょう》を積んで、ほんものの法力を得たという、荒井統嶽さんです。自分こそは真の超能力者だと自任する荒井さん。テレビに登場するのは今夜が初めてです。チャンネルはそのままにっ」

次のコーナーで登場した荒井統嶽は、意外なくらいに貧相な小男だった。五十年配で非常にやせており、目はくぼんで頬骨《ほおぼね》がくっきりと立っていた。短い筒袖の和服で上半身を包み、下には黒い袴《はかま》をつけている。

小柳風太と石野ふるみの間に招じ入れられた荒井統嶽は、むしろ所在なげにさえ見えた。

「まずお尋ねしたいのですが、荒井さんは山で行を積んで法力を得られたということなんですが、それはいわゆる山伏《やまぶし》のようなものだと考えればいいんですか」

「えー、いや。山伏というのは修験道《しゅげんどう》です。役小角《えんのおづぬ》を開祖とするものですが、私のはそれとは違いまして、奈良時代から伝わっております〝呪禁道《じゅごんどう》〟というものです」

「〝呪禁道〟？　聞いたことのない名前ですが、ふるみちゃん知ってる？」

「知らない、全然。ジュゴンなら水族館で見たことあるけど」

「これは一応専門家に伺ってみましょう。大生部教授」

「え？　はい」

大生部はさっきから興味深そうに荒井統嶽のほうを眺めていた。スタジオの隅《すみ》で見学している道満にしても、それは同じことだった。とんでもないところでシーラカンスにでも出会ったような、そんな驚きを二人は覚えていた。

「呪禁道というのは我々初耳なんですが、そういうものが日本にはあるんですか」

「ああ。これは私も専門外なんですが。たしかにそういうものはありました。奈良時代というのは、大陸からどっといろんな呪術のはいってきた時代でね。呪禁道というのはその中の一派でして、朝廷にかかえられていたらしい。朝廷内には医師や鍼師《はりし》と並んで、呪禁師、呪禁博士といった者がいて、これは主に病気の治療やまじないをやっていたわけです」

「ほう」

「ところが、もともとは災厄《さいやく》を祓《はら》うための呪術だったのが、だんだんと政治的争いに使われるようになり出した。つまり、政敵を呪い殺すといった邪術ですな。奈良時代というのは〝呪殺の時代〟と言われているほど、こういった邪術がはびこった時代だったらしい」

「ほう。歴史の教科書にはそんなこと出てきませんよねえ」

「どうかなあ。有名なのでは八世紀後半の、称徳《しょうとく》天皇呪詛《じゅそ》事件なんてのが、はっきりと記録に残されていますがね」

「それはどういう」

「これは、県犬飼宿禰姉女《あがたいぬかいのすくねのあねめ》という女性が、称徳天皇の髪の毛をこっそり手に入れてですな、佐保川《さほがわ》の河原から拾ってきたどくろにそれを封じ込めて呪いをかけた、という事件です」

「かなり気味の悪い事件ですね」

「私の専門のアフリカ呪術でも、非常によく似た方法を使うものがたくさんありますがね。たいへんに興味深いことです」

「で、呪禁道というのは結局……」

「邪術はそのうちに朝廷から弾圧されるようになりまして、平安朝の頃までには呪禁道の部門も解散させられたようです。その後は当時の陰陽師《おんみょうじ》なんかの間に伝わって、民間の中へ拡散していったようです。少くとも歴史の中には二度と出てきません」

「なるほど。で、荒井統嶽さんは、その呪禁道の血をひく呪禁師だと、そうおっしゃるわけで」

統嶽は目をしばたたかせて、しわがれた声で返事をした。

「神護景雲《じんごけいうん》元年といいますから七六七年以来、代々伝えられている法だと聞いています。もっとも、血は伝わってません。我々呪禁師は妻帯を禁じられていますので。当主は何人かの養子を迎えて、修行に耐えて法力を得た者に秘伝を伝えていくわけです」

「その修行というのは具体的に言うとどういう……」

「それは門外不出のさだめになっておりますので、申し上げられません。また、言ったとしても信用なさらないでしょう」

「それほど厳しいものですか」

荒井統嶽は苦く笑ってうなずいた。

「で、その修行を積んだ結果、どういう能力が得られるのですか」

「最高の境地に達した場合、得られる能力というのは修験道でも密教でも呪禁道でも同じことです。神足通・天眼通・他心通・天耳通・宿命通・漏尽通。呼び方はいろいろですが、まあ先ほどミラクルさんがおっしゃったような、いわゆるESPと呼ばれる能力になります」

「というと、テレパシーのような能力ですとか、透視力とかですか」

「テレパシーは、他心通というのがそれに当たりますが、修行の比較的早い段階に出てくる能力です。透視は天眼通に当たります」

「それを、今日、見せていただけますか」

「いいですよ」

アシスタントの女の子が、封筒と便せんを運んできた。

「ではいまから私、ふるみちゃん、大生部教授、ミスター・ミラクル、清川くん、この五人がそれぞれこの便せんに思っていることを書きます。書くのは単語ひとつでもいいですし、絵でもいいし文章でもいい。書いたら封筒に入れてしっかり封をします。この内容を封をしたままで荒井さんがぴたりと読み当ててみせる、というわけです」

ゲストはそれぞれに何ごとかを自分の便せんに書き込み始めた。その間、荒井統嶽は厳重に目かくしをされて座っている。

ENGカメラが各ゲストの前をまわって、書き込まれた内容をアップで映した。そのモニター画面に対して荒井は背を向けており、しかも目かくしをされている。盗み見ることは不可能だ。

小柳風太の差し出した紙には、

「私の実家はパン屋やってます」

とあった。

隣のふるみの紙は、

「猫のシャムシャムがこの二日間帰ってこないので心配」

　清川は、

「ミラクルのペテン野郎」

　大生部は、

「少し腹が減ってきた」

　最後にミスター・ミラクルの出した紙には図形が描かれていた。二重になった三角形の図である。

　全員がそれを封筒に入れて、きっちりと封印をする。順に封筒が集められた。

　荒井統嶽の目かくしが外され、中央の丸テーブルに導かれる。

　五通の封筒の束を渡されると、統嶽はそれを一瞥《いちべつ》し、

「もう始めてよろしいのでしょうか」

　と尋ねた。

「まず、ミラクルさんのものから順にまいります」

　統嶽は、一番目の封筒を取ると、額の手前で拝むようにかざし、目を閉じた。四、五秒、沈黙が続く。

「これは……何か簡単なものです。あまり意味のない……」

　ざわめきがひろがった。

「図形のようなものだと思います。それも三角形だ。……いや、違うな。ただの三角ではない。ふたつある。重なっている。二重になった三角形です」

いっせいに驚きの声と拍手が湧き起こった。

統嶽は封を破って中身を確認すると、初めて笑顔を見せた。

二番目の大生部の封筒が取り上げられた。

持った瞬間に統嶽は笑った。

「これはとても単純なもので、感情がそのまま伝わってきます。教授は空腹でいらっしゃる」

その調子で統嶽は封の中身を次々と、驚くべき正確さで当てていった。

「清川くんはどなたかを罵《ののし》っていますね。それはこの場にいる人で。……どうもミラクルさんのようだ。〃嘘《う》つき〃とか〃ペテン師〃とか、そういう言い方をしています」

「石野さんのこれは、失せものですね。それも財布とかそういうものではなくて、生きものだ。小さい……。……猫ですね。優雅な感じの……シャム猫ですね。何日か姿が見えないのでとても心配しておられる」

「小柳さんのは、家のことですね。それも自分の家ではなくて、もっと古い……。ご実家か何かですか。何か商売をしておられる。あたたかい良い匂《にお》いのする……。おまんじゅう。いや違うな。パン……パン屋さんですな？」

最後の小柳風太の封が当てられると、全員、驚くというよりはむしろ呆気《あっけ》にとられたような雰囲気に包まれていた。

「これは……何なんでしょう、ふるみちゃん」

「私、なんだか気味悪くなっちゃった」

すべてを当て終えた荒井統嶽は、得意になるでもなく、むしろ申し訳なさそうに目をしょぼしょぼさせていた。

「いまのを見て、大生部さん。学者としてのご意見はどうですか」

大生部はうろたえた。ぽかんと口をあけたまま、放心して見ていたからである。

「え。つまりその、科学的証明というのはこういうことなんですな。ひとつの現象なるものがたしかにあると。しかも一定の状況下で、その現象に〝再現性〟がある、と。それが認められたうえで、初めていろいろな仮説なり推論なりが提出されるわけでして」

「いまの場合、どうなりますか」

「そうだなあ。もう少し管理の厳しい、たとえば大学の実験室かなんかで、複数の学者の立ち会いのもとに、同じ現象が何度も起こるのであれば、これは無視できんでしょう」

清川が割ってはいった。

「そんなことを言ってるから日本は百年遅れてるって言われるんだよ。アメリカじゃ、デューク大学のJ・B・ライン博士を筆頭にして超心理学の分野がとっくに確立されてるし、中国だってロシアだって、国が研究所を作って科学的研究をしている。それが日本じゃ、いまだにトリック扱いされてるんだからな。笑っちゃうよ。何が糸だよ、何がゴキブリだよ。手品師の先生は、いまの現象をトリックでどう説明すんだよ。聞いてみたいもんだね」

「まあまあ、清川くん、落ち着いて」

若い超能力青年をなだめると、小柳風太はミスター・ミラクルのほうに身を乗り出した。

「というような意見が出ておりますが、ミラクルさんは、いまの荒井統嶽さんの〝法力〟っ

ていうんですか。どうご覧になりました」

　ミラクルは、机の上で両手を組んで、その場の全員を見渡した。

「そうですね。私の意見を言う前に、逆に皆さんにお尋ねしたい。皆さんは、いまの現象をどうご覧になりましたか。正真正銘の超能力、クレアボワイアンスだと認められた方は、ひとつ手をあげていただけませんか」

　小柳、石野、清川の三人が即座に手をあげた。

「大生部教授はいかがですか」

　大生部は、困惑しきった表情になった。

「ううむ。〝棄権〟という手はないのかね」

「もちろん。判断を保留するのもひとつの手段ですよ」

「私はこれでも学者だからな」

「けっこうですよ」

　ミスター・ミラクルは全員をもう一度眺め渡して言った。

「少くとも五人のうちの過半数の人が、いまのを超常現象だと確信したわけです。これはまさに、人間の認識能力ですとか思い込みがいかにいい加減なものかを証明している。荒井統嶽氏に関しては、私ははっきりと断言します。氏はトリックを使っています」

「何を根拠にそんなことが言えるんだよ」

　清川が色めきたった。

「たしかに荒井氏は、我々の書いたものを事前に見ることは不可能でした。氏は、五通とも

見ておく必要はなかった。一通だけの内容を事前に知っておればよかったのです」

「どういうことだよ、それは」

「我々の中にサクラが一人いるということです」

全員が顔を見合わせた。

ミラクルはなおも続ける。

「つまり、手口はこうです。A・B・C・D・E。五人の人間がいる。このうち、Eはサクラです。何を便せんに書くかは前もって荒井氏と打ち合わせてあります。封筒は、A・B・C・D・Eの順に集められます。Aの上にB。Bの上にCと集めていきますから、一番上はサクラであるEの封筒になっている。この一番上のEの封筒を、全員の注意がどこかへ向いている間に、一番下へ移しかえます。これはマジシャンにとっては非常に簡単なことです。この時点で、封筒は、D・C・B・A・Eの順になっている。術者はまず、『Eさんの封筒を当ててみます』と言って、実は一番上のDの封を取る。Eの書いた内容は事前にわかっていますから、『二重になった三角形ですね』と、これを当てます。当たったのを確認するふりをして封を破り、次にくるDの書いた内容を読みます。あとは順次、この繰り返しです。要は、スラスラ当てずに、ときどき間違ったふりをしながら、どうリアリティをつけていくかということですね」

「すると、いまの場合、この中にいたサクラというのは」

小柳風太が固い表情でミラクルを指さした。

「そう。私がサクラです。二重の三角形を書くというのはあらかじめ荒井氏と打ち合わせて

あった」

「じゃ、この荒井統嶽さんってのはいったい何なんですか」

「彼は、私がよくネタの仕入れに通っている奇術用具屋のご主人ですよ。アマチュアマジック協会の理事もなさってる。プロじゃないから面《めん》も割れてないので、今回ご協力願った。もちろん、この番組のスタッフもそんなことは知りません。オーディションの段階から、この荒井さんのトリックにコロッとだまされて今日の登場になったわけです」

「きたねえなあ」

清川がうめいた。

荒井もミラクルも、面白そうにそんな清川のほうを眺めていたが、ミラクルは急に真面目な顔になってカメラを見つめた。

「スタジオの皆さんにも、視聴者の方々に対しても、たいへんに失礼なことをしたのはよくわかっています。しかし、私が言いたかったのは、人間の判断力というものがいかにあやふやなものであるか、この一点です。オカルトや超能力に興味を持たれるのもよろしいが、この一点をよく認識してから物事を見ていただきたいのです。よく、超常現象に関して、『自分の目で見るまでは信じない』とおっしゃる方がある。頭から否定もせず、狂信もせず、一見、たいへん合理的に思われますが、そういう人だって実は危ないわけです。〃自分の目〃というのは、それほどたよりになるものではない。現に今日、このスタジオのほとんど全員は、〃自分の目〃で見てなおかつコロリとだまされたわけですから。心霊現象、超常現象の研究の歴史というのは、それこそトリッカーと学者、純な民衆とのだまし合いの歴史なんで

すよ。私は、マジックはマジックとして、タネも仕掛けもあるらしいけれど、どうしてもわからない、首をひねって見とれる、そういう娯楽として存在してほしい。妙な宗教家や似非《えせ》超能力者がメシの種にして善男善女をたぶらかすのは断じて許さん。そう考えて、こういう〞超能力あばき〟のようなことをしておるわけです。ご無礼はお詫《わ》びしますが、その辺はわかっていただきたい」

ミラクルは、カメラに向かって深く頭を下げた。きんかん頭にライトが反射した。

大生部はなんとなくこの男に好感を抱いている自分に気づいた。

番組はその後、フィリピンの心霊手術のドキュメントフィルム、某宗教家が作った空中浮揚のフィルムｅｔｃを肴《さかな》に盛り上がったが、ミラクルは終始一貫して冷静な態度を取り続けた。

控え室に戻った大生部は、またウィスキーのボトルをぐっとあおった。

道満光彦は心配顔だ。

「大丈夫ですか、先生。ピッチが早い」

「なんのこれしき。撃《う》ちてし止《や》まむ。進め一億火の玉だ、だ」

「わけのわかんないこと言わないでくださいよ」

「君はずっと見てたのか、番組」

「はい。見てました」

「あの、ミスター・ミラクルというのは、どうも変な奴だな」

「そうです……かねえ」

「変だよ。あれには、バカな学者みたいに一本気なところがある。考えてみろよ。あんな〝超能力あばき〟をして、あいつに何のメリットがある。テレビ局ってのは、トリックをあばかれるために超能力者を出してくるわけじゃない。そいつで視聴率をかせぎたいんだ。ミラクルのやってるのはそれに水をさすことばっかりだ。当然出番だって少くなる」

「そりゃそうでしょうねえ」

「それだけじゃない。門外不出のマジックのネタを、ああやってバラしてまわってるんだ。同業者の評判がいいわけないだろう」

「そう言われれば」

「あいつは、サンドイッチのハムみたいなもんだ。両方からパンにはさまれて、しかも両面に辛子《からし》を塗られてひいひい言っとる。私も学界では似たようなもんでね。親近感を覚えるよ。三界《さんがい》に家なしって奴だ」

「先生。家はちゃんとあるじゃないですか」

「家なあ……」

大生部は、これから局の用意したタクシーに揺られて帰るであろう、自分の家に想いをはせた。

「あれは、やはり〝家〟と呼ぶもんなのかなあ……」

ヒステリー状態になった、妻の逸美《いつみ》の顔、脅《おび》えている長男の納《おさむ》の顔が目の前に浮かんだ。

すべては静かに狂い始めたのだった。

アフリカでの、長女・志織の惨死を発端として……。

二

タクシーを降りると、大生部はふらつく足で自宅の門の前に立った。チャイムを鳴らそうとした手をふと止めて下ろし、ズボンのポケットをさぐった。自分で玄関の鍵《かぎ》をあけることにしたのだ。時計は三時近くをさしていた。

妻の逸美は最近また不眠を訴えている。やっと眠れそうになったところを起こして、ヒステリーでも起こされてはたまったものではない。

静かに家の中へはいる。

台所にほんのりと灯《あか》りがあった。

冷蔵庫の扉が開いていて、そこからオレンジ色の光がこぼれている。冷蔵庫の中を覗《のぞ》き込んでいる小柄な人影があった。

「納。まだ起きてたのか」

人影はビクリと一瞬すくんだ後、冷蔵庫の扉の陰から笑顔をのぞかせた。

「ああ、びっくりした。全然音しなかったもん。お父さん泥棒になれるね」

「夜中の三時だぞ」

「寝つけなくなったんだよ。お父さんの出てるテレビ見てたら」

「くだらんもの見るんじゃない。たださえ馬鹿なのが余計馬鹿になるぞ」

「親子で馬鹿……か」

「それより電気をつけてくれ」

台所の電気がともると、納の姿が照らし出された。

眠いのか、目が赤くなっているが、パッチリと大きな二重の目だ。鼻筋は通っているが、丸い頬《ほお》や顎《あご》の線に、ミルクでにじませたような子供っぽさが残っていた。

〝こいつは女の子にもてるだろうな。おれに似たところがひとつもないものな〟

中学二年生になる。長女の志織が亡くなったときにはまだ五つだった。小さすぎて、さすがにアフリカへ連れていくことはできず、祖母のもとに預けた。それが生と死の境目になった。

クラスでは小さいほうらしいが、それでも最近どんどん背が伸び始めている。大生部はなぜか照れ臭いような思いで愛息を眺めた。

納は冷蔵庫から紙パックの牛乳を取り出した。その様子を眺めていた大生部は、突然テーブルをどん、と叩《たた》いた。

「こらっ、馬鹿っ。なぜコップに入れて飲まん。直接口つけて飲む奴があるかっ」

納は、悪びれた様子もなく、笑った。

「だって、もうあんまり残ってないもの、これ。全部飲んじゃうんだから、口つけて飲んだっていいじゃない」

大生部は、返答に詰まった。

「お父さんもいるの？　ミルク」

「いや、いらん。それより腹が減った。なにか食べるものはないのか。晩メシは何だったんだ」

「僕は外で食べたよ」

「外で？　母さんはどうしたんだ。メシも作れないくらい調子悪いのか」

納はなぜか口ごもった。

「お母さんね、いないんだよ」

「いない？」

「今日から五日間、旅行。近所の間辺さんの奥さんなんかと四、五人で」

「旅行？　そんなことは言ってなかったぞ。学会やなんかで四日ほど家を空けてたが、五日前にはなんにも言ってなかったぞ、そんなこと。どこへ行ったんだ」

「けっこう近いところらしいよ」

納は大生部から目をそらして、流しの下の開き戸の中を覗きこんだ。

「僕がラーメン作ったげようか、お父さん」

大生部は、見る見るうちに不機嫌になっていく自分を抑えることができなかった。

「ラーメンって、あれか。即席ラーメンか」

「そうだよ」

「あんなもな、おれはいらん」

「そう？」

「だいたい、五日も旅行ったって、その間のおまえとかおれのメシはどうするんだ」

「大丈夫だよ。明日からはお祖母《ばあ》ちゃんが来てくれるって言ってるから」

大生部はつい大声をたてた。

「馬鹿っ。あんな死にかけの婆《ばば》ぁの作ったものが食えるか。なにかってえとシイタケだのワカメだの乾物ばっかり使いやがって。それに、田舎の婆さんだから味つけがやたらに甘いんだ。知ってるだろう、納？」

最後には泣きのはいった声になった。納は哀れむように父親を見て言った。

「お父さん、お腹《なか》が減ると怒りっぽくなるね、いつも」

大生部は痛いところをつかれてしぶしぶ認めた。

「そうかもしれんな。昔っからそうなんだ。フィールドワークに行ったときも、いつでもメシ前になるとシェルパなんかとケンカしてた。ネパールを踏査したときには、同僚の助教授とつかみ合いの喧嘩《けんか》になった」

「どうして？」

大生部は納の顔を見て、ため息をついた。

「そいつがな。粉末の味噌汁《みそしる》に〝ニンニク〟をぶちこんだからだ」

納の顔が笑い崩れた。

「やっぱり、もらおうか」

「え、なに？」

「その。……ラーメンだ」

「でも、嫌いなんでしょ？」

父親をおちょくって楽しんでいる。大生部は苦笑いした。

「嫌いなんじゃない。フィールドワークをしているときには即席ラーメンは〝宝物〟だ。なにかいいことのあった日にだけ食うんだ。ずいぶんとお世話になった」

「じゃ、好きなんじゃない」

「いや。だからだな。日本にいる間は逆にそういうものを食いたくないんだ。サヴァンナだのマラリアだの、いろんなものを思い出してしまう」

「なんだか、屁理屈《へりくつ》っぽいな」

「いいから早く作れ」

「〝作れ〟じゃなくて、〝作ってください〟でしょ？」

「うるさい。それから、〝素《す》〟の奴はいやだぞ。なにか具がないとな。肉と野菜を入れてくれ」

納は再び冷蔵庫を点検した。

扉の中は、がらんと寒々しい。

「うーん。具かあ」

「ツバメの巣でもフカヒレでもなんでもいい。ぜいたくは言わん」

「卵じゃだめ？」

「卵か。……いいだろう。野菜はないのか」

「野菜は……ないよ」

「ニンニクもないのか」

「ニンニクはあるよ」

「それを刻んでどかっと入れとけ」

「はあい。……でも」

「なんだ」

「ニンニクでつかみ合いの喧嘩したくせに、なんだか勝手だな。父さんって」

「おれは勝手だ」

パジャマ姿のまま、あくびまじりに台所に立つ息子を、大生部は酔った目で追っていた。なかなか手際がいい。ボーイスカウトに放りこんだのがよかった。男は自分のメシが炊《た》けて、つくろいのひとつもできて、ケガの処理くらいはできんといかん。なによりも、野原で火がおこせないといかん。

とりとめない想念が大生部の頭の中を流れていった。そのうちに眠りかけていたのかもしれない。

「できたよ」

という納の声で、はっと我に返った。目の前に丼《どんぶり》が置かれていた。細かい油の浮いたスープの表面から、ニンニクのきつくてうまそうな香りが立っている。

大生部は物も言わずに丼をかかえこみ、そばを啜《すす》りこんだ。

「おいしい？」

納が面白そうに覗きこむ。

「つまらんことを訊《き》くな」

「ちえっ」

「コショウをくれ」

「人使い荒すぎない？　お父さん」

大生部が麺《めん》をほとんど啜り終わったところで、納はその丼をさっと引き取って流しに運んだ。

「おいおい、何をする。今からスープを飲むところなんだ」

納は流しに残ったスープをあけながら笑って言った。

「だめだよ、お父さん。血圧のこと忘れたの？　ラーメンのスープなんか飲んだら、一発で塩分オーバーになっちゃうよ」

大生部は、ぐうの音も出なかった。たしかに血圧が高く、医者から再三の注意を受けている。

「えいくそ。母さんの料理は塩気がないから、今日くらい塩辛い味を堪能しようと思ったのにな。息子まで医者のスパイだったか」

納は少し笑った後、急に真顔になった。

「ねえ、お父さん。少しいいかな」

「なんだ」

納は、困ったような顔で口淀んでいる。

大生部は息子の顔を見て、ぴんとくるものを感じた。

「なるほど。みなまで言うな」

「……え？」

「生えてきたんだな？　納」

しばらくきょとんとしていた納は、やがてまっ赤になって大生部をにらみつけた。

「違うよ。よくそんだけ大外れできるもんだね」

「違うのか。じゃ、何なんだ」

「お母さんのことなんだ。……告げ口みたいでいやなんだけど」

「どうした。母さんが……」

納は必死で言葉をさがしているようだった。

「お母さん……。変なんだよ。ここ一ヶ月くらい」

「変？　変とはどういうことだ」

「外出がやたらに多くなって。今度の五日間家をあけるのだって、〝旅行〟っていうのとはちょっと違うんだ」

大生部は息を呑《の》んだ。

四十代の入り口にしては美しさに衰えのない、納によく似た愛らしい顔立ちの逸美のイメージが脳裡《のうり》に浮かんだ。

「納。……母さん、浮気してるのか。男ができたのか？」

納は涼し気な目で大生部を見た。

「ほんとにお父さんって、よくそんだけ次から次へと外せるもんだね」

「違うのか」

「お母さん、志織姉ちゃんが死んでからずっとあの調子でしょ。浮気するようなガッツあると思う?」

大生部は、たしかにその通りだと思った。

事故以来、逸美はずいぶんとやせた。外見上はスレンダーで、かえって美しくなったくらいだった。ただ、目に生気がなく、いつも心がどこか遠くへ行っているような気配があった。

性行為を極度に恐れるようになった。

八年間、大生部は逸美とベッドを共にしていない。志織を失った痛手とセックスとが、「生殖・子供」をキーワードにして、妻の深層心理の中でつながっているようにも思えた。

逸美は、月に一、二回、大生部の紹介したサイコセラピストにかかっている。秋山ルイという名のその心理学者は、まだ三十代半ばだが、少くとも大生部の知っている限りでは最も有能なサイコセラピストである。それでも逸美の状態は、悪化するのをかろうじて抑えている、程度にとどまっていた。

逸美は、月に何度か、放心状態で一日中寝ているようなことがあり、かと思うと些細《ささい》なことでもヒステリー状態になった。

そんな状態の逸美に、浮気などできるわけがない。それは納の言う通りだ。

「じゃ、何なんだ。母さんはどこへ行ってるんだ」

「〝山〟へ行ってるんだよ」

「〝山〟?」

「お母さんね。最近、近所の奥さん連中にすすめられて、なんか、変な新興宗教にはいりか

けてんだよ」

「新興宗教？　逸美がか？」

大生部は息を呑んだ。

納は小さくうなずいた。

発端は一ヶ月ほど前のことだった。

逸美は家で青梅を塩漬けにしながら、面白くない気分であった。

梅は、義母が毎年のならいで大量に届けてきたものだった。逸美の母は若くして亡くなっているので、こうしたおせっかいをしてくれる親族は、大生部の母であるなおだけである。

千葉のはずれにある家の梅の古木が、毎年たいへんな量の実を成した。なおは大生部に似て、どこか抜けているわりには一本気な老女で、毎年、季節になるとそれが使命であるかのように大量の青梅を送ってくるのだった。処分しきれないくらいの量だった。

それでなくても、逸美の家には梅干しが充満している。一番古い壺《つぼ》には〝一九七〇年〟の表記がある。つまり二十年ものの梅干しだ。

この梅干しで育てられた大生部は、青梅を見ると興奮する。

「漬けろ、漬けろ」

とうるさい。そのくせ、自分ではたいして食べないのだ。三日に一粒も食べればいいほうだろうか。

なのに、納屋の壁のほぼ一面を占めた梅干しの棚を、ときおり見に行っては満足そうにし

ている。

「鎌倉の農家の屋根裏で、二百年前の梅干しの壺が見つかったそうだ。半分結晶みたいになっているんだが、アメ色をしててね。口に入れると、じわっとこう滋味のようなものが出てくるっていう。二十年ものくらいではまだまだ青いな」

そんなことを言うひまがあれば、古いものからせっせと食べて壺だの壜《びん》だのを減らしてほしいと逸美は思う。結局のところ、大生部はいつも外食をして帰ってくるだけだし、息子の納は梅干しなど見向きもしない。食べているのは逸美一人なのだ。

洗って干した梅を塩に漬けこんでいるとチャイムが鳴った。

出てみると、間辺めぐみが大ぶりのザルをかかえて立っていた。

「あら、どうしたの?」

「梅持ってきたの」

めぐみはそう言ってほがらかに笑った。近所の主婦だ。

逸美の家の向かい側の一画には、某大手商社の社宅がずらりと軒を並べている。

間辺めぐみはその一軒の住人だが、近隣と折り合いが良くないのか、大企業の社宅の上下関係がうっとうしいのか、よく逸美のところへ話し込みにくる。

恒常的に軽い鬱《うつ》症状にある逸美にとって、この主婦の存在は痛しかゆしというところだった。

逸美は、二十六で大生部と結婚した。

そのとき彼女は大学院生で、民族学を学んでいた。大生部はその頃まだ助手で、院生の間では「肛門《こうもん》」と仇名《あだな》されていた。ワシ鼻の下ですぼまった彼の口のせいである。逸美は、あろうことかこの〝肛門〟と恋に落ちてしまった。

別に大生部がいい男だったからではない。

大生部は学問のほかには何も知らない男だった。〝こんなことで生きていけるんだろうか〟という思いが、逸美の母性愛を刺激したのかもしれない。

初めてのデートのとき、映画を見たあと歌舞伎《かぶき》町の喫茶店で大生部は二時間、しゃべりまくった。「パプアニューギニアのサンビア族における男子同性愛儀礼」についてである。

逸美は今でもこのときの話を覚えている。

大生部は喫茶店のテーブルを叩きながら、力を込めて話した。

「サンビア族のイニシエーション（通過儀礼）というのは、要するに子供に成人男子の精液を飲ませることなんだ。男は生まれてからその儀礼を受けるまで、女性性によって汚されていると考えられている。男の子の発育が女の子に比べて遅いのはそのせいだとされるんだ。母親だから、男の子は七歳から十歳になると、最初の〝モク儀礼〟というのをやらされる。母親から引き離されて長老や若者たちと一緒にイニシエィションを受ける。つまり、口唇性交をさせられて、成人男子の精液を飲まされるんだ。この行為を彼らは〝竹笛を吹く〟と言ってるけどね。連中の考えでは、男性性、つまり精液というものは体内で生産されるものではない。外からの注入によって貯蓄されるものなわけだ。だから男の子たちは成人するまでの間、際限なく吸茎行為に応じないといけない」

この〝講義〟の間、逸美は何度も吐きそうになった。頼んだ飲みものが〝カルピス〟だったのもいけなかったかもしれない。

ただ、とにかく、そのときの逸美は自分の受けた不快感にもかかわらず、大生部の学者馬鹿ぶり、無神経さを、

「男らしい」

と思ったのである。感受性が強いせいで引き込みがちになり、逸美はこれまで何ごともできずにいた。逸美には大生部のシンプルな情熱がうらやましく思えた。

「男らしい」という言葉が「馬鹿」の同義語であるのに気づいたのは、ずっと後のことである。

間辺めぐみはにこにこし、手にした大ザルを玄関口に運びこんできた。

「あらあら、あたしってどうしてこんなに頓馬《とんま》なのかしら。梅漬けてる最中の人のところへ、こんなに梅届けにきちゃって。ごめんねえ。持って帰るよ」

「そんなことないわよ。ありがたくいただいておくわ。漬ける手間なんて一緒なんだし。木によって味が違うかどうか試してみるわ」

間辺めぐみは、逸美が漬けている梅を一粒取ってみて眺めた。

「小粒だけどしっかりした梅ねえ。これ、どうしたの」

「千葉にいる義母が毎年送ってくるのよ」

「そう。うちのは、奈良の実家から毎年段ボールで送ってくるのよ。断るわけにもいかない

し、近所中に引き取ってもらうの」

「漬けないと主人がうるさいしねえ。漬けろって言うばっかりで、ちっとも食べないくせに」

「うちもそうよ」

「大生部は血圧が高いから、食べないくらいでちょうどいいんだけど」

「高血圧？　でも元気そうじゃないの。こないだもテレビで見たわよ」

「元気は元気なんだけど、もういい年齢《とし》だから、あっちこっちガタもきてるみたいよ」

「ふうん。奥さんはどうなの？」

「どうって？」

「体の調子」

「あたしはいいとこなしよ。なんだかだるくって」

実際、逸美は体の調子がここ何年もよくなかった。ある日は偏頭痛が激しく、別の日には胃がおかしい。また別の日にはひどい肩こりがし、次の日には体中がだるい。毎日体のどこかに異状があった。

医者に相談してみても、中年以降はよくある症状だ、とあまり相手にしてくれない。体内のホルモンバランスの崩れで、そういう症状が出るのだそうだ。「不定愁訴」というらしい。なによりも、気持ちが憂鬱《ゆううつ》だった。こうした不調があるだけでも十分鬱の原因にはなる。

逸美にはそれに加えて失った娘のことがあった。ざっくりと開いたその傷口は、何年たっても癒《いや》されることはなかった。むしろ悲しみは年とともに純化されて、いまでは「悲痛」が逸

美の感情のベースになっていた。

憂鬱が体調の崩れを呼び、その不調がまた鬱気を招く。際限のない悪循環。

亡くなった志織のことは伏せておいて、逸美は体の不調のことを間辺めぐみに話した。

めぐみは小きざみに相槌《あいづち》をうちながら、身を乗り出して話を聞いた。なぜか目が輝いていた。

「そうなのよねえ。私たちの年代の女って、たいていなにかうっとうしいことのふたつや三つ、出てくるのよねえ」

「漢方でもやってみようかしら」

「漢方？　そんなものより奥さん、もっといいものがあるわよ」

「何なの？」

めぐみは、一瞬思案しているようだったが、すぐに顔を上げて言った。

「奥さん、笑わない？」

「笑わないわよ。どうしたの？」

「あたしは、三ヶ月前から縁があってあるところに入信しているの」

「入信？　宗教にはいったの」

「〝聖気の会〟っていうんだけどね。そこに信じられないような奇跡を起こす生き神さまがいるの」

逸美は困惑すると同時にうんざりした。

めぐみはその表情をすばやく読んで、たたみかけてきた。

「もちろん、あたしだって全然信用してなかったのよ。新興宗教って、うさん臭い話ばっかり聞かされるじゃない。絶対ひっかからないぞ、と思ってた。でもね、その聖気の会っていうのは全然違うの。沢井心玉《しんたま》っていう尊師さまが教祖なんだけど、この生き神さまがほんとうにすごいの」

「どうすごいのよ」

「超人的な力を持ってらして、色々な奇跡を起こされるの。火の中を歩いたり、空中に浮いたり」

「まさか」

逸美はつい失笑してしまった。

「そうねえ。信じられないわよね、自分の目で見るまでは。私だって最初は馬鹿にして、確かめる気で集会に行ったんだもの。でも、ほんとうだった。あの力はほんものよ」

「でも、そんなことができて何になるのよ」

「尊師は別に見せびらかすためにそんなことをしてるわけじゃないのよ。信心をあつくして修行すればこういうこともできるっていう見本みたいなものね。その力は本来は〝癒し〟に使われるの。会では〝手当て〟って呼んでるけどね」

「ふうん。効くの？」

「効くなんてもんじゃないわよ。あたしなんか、ひどかった生理痛が嘘《うそ》みたいに軽くなったもの。ガンが治った人までいるらしいわよ」

「まさか」

「嘘だと思ったら一回私と一緒に集会に出てみればいいのよ。今週の木曜日だから、あさってよ。ね？」

逸美は結局、渋々ながら承諾をした。一度だけならかまうまいと思ったのだ。このまま断ったのでは、めぐみを嘘つき呼ばわりしたことになる。少しだけ好奇心もあった。

集会所は道玄坂を登ったはずれにあった。

逸美は怪し気な神殿のようなものを想像していたのだが、予想とはずいぶん違っていた。和風の、強《し》いて言えば〝柔道場〟のような建物である。

板張りの大広間には、すでに百人ほどの人間が集まっていた。ほとんどが中年の主婦である。

広間の奥手は一段高くなっており、中央に祭壇、その左右に火が焚《た》かれていた。祭壇には「宇宙聖気神」と書かれた額《がく》が祀ってある。

逸美とめぐみが広間にはいっていくと、あちらこちらから、

「間辺さん」

と声がかかる。中年のおばさんたちが方々でてんでにしゃべり合っているので、場内の騒がしいことといったらない。

四、五分もした頃、祭壇の前に一人の男が立った。サラリーマン風の、がっちりした体格の中年男だった。

「福田導心さまよ」

めぐみが耳うちした。

「え？」

「一番えらいのが導師さま。その下の人を導心さまって呼ぶのよ。会には五人、導心さまがいるの」

「ふうん」

男が祭壇に立つと、場内のざわめきは嘘のように消えた。

「ええ、導心の福田です」

よく通る太い声だった。

「今日は〝ご縁の日〟ですので、この中の半分近くは初めて来られた方だと存じます。〝ご縁の日〟と申しますのは、信者の皆さんにお願いして、一人でも多く、初めての方を連れてきていただく。一人でも多くの方に、沢井心玉尊師の教えと聖気にふれていただきたい。そういう縁結びの日であります」

それで間辺めぐみが私を誘ったんだわ。逸美は内心苦笑いをした。

「初めての方も多数おられますので、では今から三分間、時間をさし上げます」

福田は腕の時計に目をやった。

「この三分間で、皆さん、できるだけ多くの方に声をかけ、自己紹介をして、一人でも多くの方とお知り合いになってください。では始めます」

福田が壇上を去ると、驚いたことに場内の半数以上の人間がさっと立ち上がり、せわしなく動き始めた。

場内を移動して、自分の知らない顔を認めると、にこやかに自己紹介をする。動きまわるその一群の中に間辺めぐみの姿があった。

逸美は呆気《あつけ》にとられて、ただ声をかけてくる人々に向かってうなずいているばかりである。

やがてまた壇上に福田の姿が現われた。

「はい、三分たちました。皆さん席にお戻りください」

逸美の横にめぐみが戻ってきた。

「初めてこの聖気の会に来られた方にお伺いします。自分から声をかけて、何人もの人と知り合えた、という方はいらっしゃいますか。おられたら、手をあげてみてください」

一人も手をあげる者はいなかった。

福田はにこやかに場内を見渡していたが、一転して生真面目な表情になり、こう言った。

「そうでしょう。それが昨日までのあなた方の姿です」

逸美は、内心、ぎょっとなった。痛いところをつかれたのだ。福田は声を継《つ》ぐ。

「人間というものは、良い縁があって、霊的に目醒《めざ》めない限り、消極的な生き方しかできないものなのです。自分の心を開いて他人に接することができない。あるいは行動にしても、〝するか〟〝しないか〟の選択であれば、しないほうを選ぶ。そういう消極的な生き方をしていった結果、人間はどうなるか。不幸になります。電気掃除機は、スイッチを入れなければ働きません。運命も同じことです。今のあなた方の状態は、スイッチも入れずにただ掃除機を眺めている。それでもって、部屋がどんどん汚れていくと文句を言っているようなものです」

少し笑いが起こった。この福田という男はたとえひとつにしても主婦の心をつかむように考えているようだった。

「人はどうして消極的になってしまうのでしょうか。それは、この現世にはあまりにも災厄《さいやく》が多いからです。道を歩いていれば車にはねられるかもしれない。それならいっそマンションの部屋の中にいて、出歩かないようにしたほうがいい。あなた方はそう考えます。このマンションというのは、あなた方の〝心〟です。鍵《かぎ》をかけてドアチェーンをして、あなた方はその中に引き籠《こ》もります。そしてテレビを見る。テレビには幸せそうな人たちのＣＦやドラマが映っています。あなたたちはそれを見てうらやましがります。なぜ自分にはこういう幸福が訪れないのだろう、と。でもね、皆さん、考えてみてください。幸福というものは、新聞の勧誘やエホバの証人みたいに、訪れてくるもんじゃない」

また笑いが起こった。

「幸せというのは出ていってつかまえるものなんです。マンションのドアの外にしか幸福はない。そのかわり、出ていけば車にはねられる可能性もある。それでも、自分がなにもしないせいで確実に不幸になっていくより、可能性を求めるほうがいいじゃないですか。その積極性がどうしても持てなかったのが昨日までのあなた方なんだ」

あちらこちらで、何人ものおばさんが深くうなずいた。

「心玉《しんたま》尊師はこうおっしゃっています。人間が幸福になれないのは心を開かないからだ。現代の人間は太古の人間と違って、精神的に糞詰《ふんづ》まりの状態にある。人間というのはもともと大宇宙の生命力、聖気と連動して動くようになっている。いわば人間は、聖気の通り抜ける

管のようなものだ、と。この管が詰まっておるために、不幸が招かれてしまう。もし汚れを祓《はら》い落とし、開心してこの大宇宙の聖気に通じるならば、人間はその場で大自在の境地を得ることができます。大自在の境地とは、物心ともに望んで成さざることはない、すなわち万能の心境。世俗でいま騒いでおる超能力の世界であります。この大自在に至れば、自分が幸福になるだけではない。尊師のように、人にまで幸せを与えることができるようになります。初めていらっしゃった皆さんは、ぜひ今日のこの良きご縁を大事にされて、幸福への道を歩まれんことを切望いたします。長い口説になりました。尊師においでを願いましょう」

福田は一礼すると祭壇に手を合わせ、左右の聖火にも手を合わせてから退場した。

場内の目が一斉に会場の入り口付近に振り向けられた。

入り口のあたりに、作務衣《さむえ》を着た、変なおやじが立っていた。五十がらみの小肥りな男で、顔つきは落語家の桂枝雀によく似ている。

男はゆっくりと、入り口から奥の祭壇へ向けて歩き始めた。

とたんに場内のおばさんたちの半数が両手をあげて拝み始めた。

中でも、男の通り道に近い女たちは、

「尊師、尊師！」

と声を立てて、その作務衣にすがりついた。

心玉尊師はそうした女たちに笑顔を向けながら、肩や首すじ、胸などに手を当ててやっていた。

ようやく尊師が壇上にたどりつく。

場内が静まり返る。

尊師は場内を見渡してから口を開いた。しゃがれた胴間声だった。

「風邪《かぜ》ひいてしもうた」

どっと笑い声が起こった。

「聖気やなんやと、えらそうなこと言うとる人間が風邪ひいててええのんか、と、意地の悪い奴は言うかもしれん。けどな、私は毎日、何百人という人間の悪因縁をこの身に受けて祓《はろ》うとります。風邪くらいですんでるのは、これが私やからであって、普通の人間なればとっくに即死しとる。あるいは孫子の代まで業悪な病いに憑《つ》かれよるかもわからん」

おばさんたちが一斉にうなずいた。

「今日は〝ご縁の日〟やいうことで、初めての人もようけ来とるようや。むずかしいことは言いません。私の言うとることは、その辺の婆さんやとか頑是《がんぜ》ないお子さんにもわかるようなことで、つまり、この宇宙というのは生命《いのち》の力、〝聖気〟の海なんです。ユングという学者は、人間の心の集まりを〝集合無意識〟と言うたけれども、そんな小さいものやない。この地球上の生きとし生けるものすべては、聖気の生命力によって動いとる。地球だけやない。地球なんてものは、この大宇宙から見たらホコリみたいなもんや。ホコリにもならん、素粒子の頭についたフケみたいなもんや。つまりは、この大宇宙を在らしめておる生命力を私は〝聖気〟と呼んどるわけで。宗教によってみんな呼び方は違うけれども結局は同じことなん。エホバと呼んだり、アマテラスと呼んだり、アラヤ識《しき》と言うたりね。それはリンゴというものがあって、私らはそれを〝リンゴ〟と言う。外人は〝アップル〟と言う。そんなようなも

んやで、私はよその宗教がまちごうとるとか、そういう詮索は一切しません。カトリックであろうが浄土真宗であろうが、新興宗教であろうが、認めるところは認めましょうと。こういうことです。ただ、中にはどうしても許せんものもある」

心玉尊師は突然ものすごい表情になった。逸美はそのしかめ面《つら》を見て、ついつい〝ブルドッグ〟を連想した。

「許せんというのは、超能力みたいなものを売りものにして人を喰《く》いよるペテン宗教です。護摩壇《ごまだん》に油と発火装置入れといて、念力で火をつけるとか、水中で一時間メディテーションするとか、そういうのを看板にしとる拝金主義の宗教です。けったいな壺とか多宝塔とか売らせる連中も許せん。こういう連中がおるから、私みたいなつまらん者《もん》でも、ほんものの奇跡というものを、たまには見せんといかんようになる。こんなものはね、本来は人に見せてはいかんものなんです。そりゃ、私は水の上なと火の上なと歩くことはできるが、そんなことができて何になる。水を渡りたければ船に乗ればええことで、こういう力は人に見せるものではない。衆生《しゆじよう》救済のために使うもんです。ただ、あんまりペテンに惑わされる人が多いから、私もたまにはこういうことをせなならん。いいですか、皆さん。ほんとうに聖気と合一しておれば、人間には不可能というものはないんです。たとえば煮え湯の中に手を突っこんで、火傷《やけど》をせん、ということができる。福田くん、準備はどうや」

福田が、ぐらぐらと煮えた湯のはいったどっこ鍋《なべ》を運んできた。鉄かごの中で燃えている石炭の上にそれが置かれる。鍋はすぐに煮えたぎって湯気を上げ始めた。

「この中になにか放りこみたいが、誰《だれ》かなにか持っとらんかな」

尊師が呼びかけた。

主婦の一人が自分の手にしていたシャープペンシルを差し出した。

尊師はそれを無造作に鍋へ投げ入れると、しばらく眺めていた。やがて、作務衣の袖をまくると、言った。

「いいですか？　熱も冷気も、所詮は宇宙の聖気の〝かたより〟に過ぎん。全身に真正の聖気を貯めておれば、熱も冷気もこれを害することはできんのです。ほれ」

そう言うと尊師は煮えたぎった鍋の中に、ずぶりと腕を差し込んだ。

会場に一瞬悲鳴が起こった。

次の瞬間には、尊師の手に先ほどのシャープペンシルが握られていた。

「ちょっと、どっか溶けてしもうたかもしらんがな」

言いながら、そのシャープペンシルを元の主婦に返す。おばさんはそれを額《ひたい》に当てて、ありがたそうに拝んだ。

「いまの行を見てもまだ半信半疑の人はおるやろう。大自在の境地というても、なかなか凡人にわかるものやないですから。では、こういうのはどうですかな」

尊師はもうひとつの焚《た》き火に近づいた。

逸美はそのとき初めて気づいたのだが、その焚き火の中には直径二センチほどの鉄の棒が差しこまれていた。長さは一メートルほどで、その大部分が焚き火の外に出ている。先端を握って、尊師が鉄棒を焚き火から取り出した。先端の三十センチくらいがまっ赤に灼《や》けている。

「この灼けたやつを、素手でつかんでみましょうか」

尊師がそう言い放った。

逸美は一瞬、退場しようかと考えた。

かろうじて気を取り直し、目を皿のごとくして尊師の一挙手一投足を見守る。

尊師はまっ赤に灼けた鉄の棒をにらみつけて、気息を整えていた。

数秒後、一瞬不可解な笑みが尊師の頬に浮かんだ。

その直後、驚くほどゆっくりとした動きでその右腕が灼熱《しゃくねつ》の棒に向かって伸ばされ始めた。

尊師はまっ赤に灼けた鉄棒の根元をつかむと、気息を整えた。

次の瞬間、固く握った右手を、灼熱した上方へすり上げて、まっ赤な鉄棒をぐいっとしごき上げた。

逸美の口の中で、小さな悲鳴がもれた。

尊師はにっこりと笑うと、炭の中へ棒を戻して言った。

「聖気が正しく融和しておるなら、火も水も刃物も、人の体を傷つけることはできません。何となれば、生命体というもんは、正しい状態にあるなれば、神仏に次ぐ最高のエネルギー体であるからであります。ことに刃物なんぞは少しもこわいものでない。

過去、私は三度、暴漢に命を狙《ねら》われたことがある。それは、私が正論を貫いて罪のない人を守ったがために、下品《げぼん》の者が逆恨みをしよって、凶刃をふるって襲ってきたのです。その刃は私の体に当たりはしたが、斬《き》ることはできなんだ。嘘やと思う人もあるかもしれんから、それを見せましょう」

福田導心が、ふたふりの日本刀を持ってきた。

尊師はその中のひとふりをすらりと抜き放って眺めた。

「これはもともと、なまくらな軍刀やったんやが、聖気にふれるうちによう斬れるようになりました。刃引きや竹光やと言われるとざんないので、何か斬ってみせましょう。おい、福田くん、なんぞないか」

福田はうなずいて下手《しもて》へ去ると、ほどなく、よく肥《こ》えた大根《だいと》を持って現われた。

「ああ。これはさっき信者の井口さんが届けてくれた大根かいなあ。井口さん、どこにいてはる？」

尊師は会場を見渡した。

まん中あたりで、五十がらみのおばさんが照れ臭そうに手をあげた。

「ああ、そこかいな。どないやな、おとうちゃんの病気は。ようなっとるか。ああ、そうかいな。よかったよかった。私みたいなもんの加持《かじ》でも、ちっとは効いたんやなあ」

福田導心が会場の人間に向かって補足した。

「井口さんのご主人は胃ガンで、それも大きくなって背骨に癒着するほどの症状でして。医者も開腹はしたものの、そのまま何もせずに縫い合わせてしまうような末期患者だったのです。それが、心玉《しんたま》尊師のご加持によって一ヶ月でガンがみるみる小さくなり、先日、再手術をされました。ガンは親指の先ほどに小さくなっておったそうです」

「これ、福田くん。そんなことを自慢たらしく言うのやない」

「は。おそれいります」

「別に私が癒すのやない。大宇宙にこぼるる聖気が、病人の自然治癒の力を導き出してくれはるのや。そんなことより、私はいま何をしようとしてたんかいな」

「は。日本刀で大根を斬ろうと……」

「ああ、そうやった。井口さん、せっかくのみごとな大根《だいこ》やが、ちっと斬らしてもらいますよ。なに、斬ったからというて捨てるようなことたあせん。後で上手に炊いて身の養いにしますのでな。さて、福田くん。しょうむない法力自慢をした罰で、この大根はあんたの腹の上で斬ろうか」

福田の顔に緊張が走った。

「え？　私の腹の上で……ですか」

「そうや。君かて、うちで十分に修行して導心にまでなった男や。聖気の通った体にもなっとるやろう」

「は……」

「それとも何か。この刃がこわいか」

「いえ……」

「そんなら、そこで横になんなさい」

福田は、渋々といった風情《ふぜい》で壇上に横たわった。その腹の上に尊師は大根を置く。

「では、まいります」

尊師が真剣をふりかぶると、会場の空気が氷のようになった。

刀を大上段にかまえた尊師は、しばし福田の腹の上で、彼の呼吸によってゆるやかに上下

する大根を見つめた。

間合いをはかっているようだった。

次の瞬間、裂帛《れっぱく》の気合いとともに刃がふりおろされた。

逸美はもちろんのこと、会場中の人間が一瞬目をおおった。

大根は、みずみずしい切り口を見せて、みごとに両断されていた。

皮一枚でつながっているのでもない。完全にまっぷたつになっていた。

福田はゆっくりと立ち上がると、自分の腹のあたりをこわごわ調べた。ネクタイにもYシャツにも、傷ひとつついてはいなかった。

「な？刃物なんてものは、怖れるに足らんというのがわかったやろう」

「はい」

「この刀の上を、いまから渡る」

そう言うと、尊師は福田に命じて、二本の「枕木《まくらぎ》」のような材木を持ってこさせた。枕木にはそれぞれ、日本刀のつかと刀身の厚みに合わせた切れ込みがはいっている。

離して置いた二本の枕木に、刃を上向けたふたふりの日本刀を、ちょうどレールのように平行にして固定する。

「この上を、裸足《はだし》で歩いてみましょう」

会場がざわついた。

「ちょっと、嘘でしょう」

間辺めぐみが逸美の袖《そで》を引っ張ってささやいた。入信して三ヶ月の彼女も、こんなものを

見るのは初めてのようだった。

「この前この〝刃渡り〟をやったのは半年前やったか。あれから無精をして、五キロほど肥《こ》えとるさかい。前は首尾よういきましたが」

そう言うと、尊師は足袋《たび》を脱いで裸足になった。

印契《いんげい》を結び、大音声《だいおんじょう》で、

「南無三界の聖気よ。欲界、色界、無色界の真法を顕《あら》わにして危難を祓いたまえ。オンアビラウンケン」

それから尊師は、福田の肩を借りると、二本の刃の上にひょいと乗った。

「オンアビラウンケン」

と真言を唱えながら、第一歩を踏み出す。

そのまま、あっけないほどの速さで、四歩ほどで刃の上を渡りきった。

足の裏をひとなでして、またマイクの前に立つ。

「ご覧になったでしょうが、いまのようなことが聖気を通じさせることによりもたらされる奇跡の一端であるのです。先にも申しましたが、こういう超能力のようなものは、進んで人さまに見せるようなものやない。たとえば私は、チベットのラマ僧がやる如《ごと》く、空中に浮くこともできる。今日は体調が万全でないのでやりませんが、これがそのときの写真です」

尊師はキャビネサイズの、一葉の写真を取り出した。遠目で詳細には見えなかったが、たしかに結跏趺坐《けっかふざ》して法界定印を結んだ尊師が、床の上から四十センチほど浮いているのが見てとれる。

「これは、火を渡っておるところ」

カラー写真だった。炭で作った道の上を、尊師と福田導心が神妙な表情で歩いている。

「松の炭の上を歩くんです。ガスの火やなんかと違って何百度もある火です。これは水上を渡って、宇治川を越えよるところ」

河の中ほどに、くるぶしあたりまで水に浸かって立っている、尊師の姿があった。

「こんな奇跡を見ると、腹のねじくれた輩《やから》がおって、〝そんなことができて何になる〟と言いよる。それはたしかにその通りであります。宇治川を渡りたければ、舟や橋で渡ればよい。火の上を歩くなんてことは、まあ火事でも出んかぎりないでしょう。宙に浮きたくば、飛行機やヘリコプターに乗ればええやないか。それは、おっしゃる通りなん。この近代においては、個人の超越能力なんぞよりは、科学の起こす奇跡のほうがなんぼか強大なのであります。時代おくれのそしりをも怖れず、私がこうして火や水の上を歩いたり宙に浮いたりするのはなぜか。

それは、ひとつには先に申し述べたごとく、世の中にはあまりに人心をたぶらかすエセ宗教、インチキな法力を誇示する輩が多いからであります。くだらん子供だましのトリックでもって善男善女をたぶらかし、あげくは、霊の障りがある、墓相が悪いなんてことを言うて脅迫する。信者の家財一切を吸い上げてのうのうとしておる。これらすべて、拝金主義の吸血宗教家であります。そういう時世において、私がほんものの奇跡を見せることは衆愚の蒙《もう》を啓《ひら》くことであって、あえてこれをしておるわけであります。

いまひとつ、言いたいことがあります。

人が生き継いでいくということは、これすなわち火の上を歩く、水の上を渡る、刃の上を進む、これと同じことではないのでしょうか。現実の火や水や刃を渡るよりも、これははるかに至難の業《わざ》かもしれない。人生を全《まっと》うするということは、現実の火や水を渡ることよりもはるかにむずかしいのであります。火とはすなわち勇気をもって危険の中に飛び込むこと。水とは、忍耐をもって苦境を耐え忍ぶこと。刃とは、いわれなき他人からの怨恨から自身、家中を護《まも》ることであります。このほかにも、生きていくうちにはさまざまの病いがあり、不可抗力の災禍《さいか》があり、老いや貧や苦の問題がある。

これらのすべては、個人が大宇宙の聖気と同調することによって、ことごとく解決できる問題であります。

いわんや、現象面において、これら現実の火、水を克服することなどは児戯《じぎ》のたぐいに過ぎない。

私は、そうしたことの証明の一助となるなればと考えて、先のようなデモンストレイションをば行なった次第です。あのような奇跡を披露することは私の本願でない。私のなすべきところは、大宇宙聖気の導引を介して、病者に健康をもたらし、頭のおかしい人を正常になし、不運不幸の方を幸運に導くことであります」

このあたりになると、逸美の頭はややもうろうとしてきていた。

別に、何もかもを信用しているわけではない。最初のうちは、どこかにおかしなところがないかと注視していたのだが、次々に見せられる非日常的な行為のために、やがてその注意力も散漫になり始めた。

批判力のあらかた消え失せたところへ、尊師の説法が流れ込んできたのである。それは空のコップに水を注ぐようなものだった。

「以下に、少しばかりの実例をあげておきます。先ほどの井口さんのご主人のような、医学では認められない治癒、聖気が癒した例です」

尊師は壇上の説法台の中から分厚いファイルを取り出した。

「私のところでは、難病、業病を訴えてくる方に対しては〝ご加持〟ということをして治しております。現今の宗教においては、形式通りのことしか知らんエセ坊主が多いので、世俗一般ではこのような加持祈禱《きとう》というようなことが迷信やと思われている。とんでもないことであります。現代の医学、ことに外科部門においては、患者を要するに〝病気〟というものの持ち主のようにしか考えない。悪いところがあれば切って捨てりゃいいだろうという。これでは病気は治りません。病気というものは、霊も身体も含めた人間の総体というものが、〝もっと生きたい〟と絶叫しておる警告なのです。現象面で悪化した部分を切れば治るというものではない。体中、心中に宇宙の聖気を呼び込み、生命体本来の活気ある様相に戻すことが先決であります。このあたりの明理をいまのドクターがたはわかっておらん。

ごたくはよい。実例を申し添えましょう。

たとえば、これは十数年前の話になるが、うちに出入りをしておった米屋さんのご主人が重篤の病いで都立の病院に入院された。どうやら胃ガンであるらしいとのことだったのです。

私は、ご内儀の嘱望もあり、それから二週間、朝な夕なに熱禱を続けました。結果、どうなったか。ご主人はその十日ほどの間に、みるみる顔色もよくなり、風呂《ふろ》にはいりたいとさ

え言い出した。

私は、開腹手術の前日に、担当医師のところまで出かけていきまして、ガンは小さくなっているか、消滅しているかのはずだから、もう一度だけレントゲンを撮ってくれ、と申しました。

主治医の大山先生は、私の請願を半ば鼻で笑うようでありましたが、結局のところ、何の検査もないうちに、次の日の手術に至りました。

二時間に及ぶ手術の後、大山先生は青い顔をして手術室から出てこられた。〃どうでした〃と尋ねると、

〃ガンではなく、軽い胃カイヨウのようだった〃

とのこと。

先生の名誉のために申し添えておきますが、これは別に先生の誤診ではありません。ガンはたしかに在ったのです。それが、宇宙聖気の流入による生命本来の治癒力の喚起によって、跡形もなく消滅してしまった。そういうことでしょう。唯物論的在来医学の域内で、こうした奇跡的治癒を看過してしまうのは仕方のないことでもありましょう」

尊師はファイルをパラパラとめくりながら言った。

「こういうこともありました。千葉市の伊藤さんという、これは宮大工の方の娘さんです。妊娠三ヶ月だったのですが、前の月に盲腸の手術をなさっておられる。その後、お腹が痛くて仕方がないと言うのですが、医師に診《み》せてもよくわからない。お母さんを頼って、その縁で私のところへ来られました。

ご加持をいたしましたところ、どうも腹の中に三枚の布のようなもの、それと多量の水のようなものが見える。これは大変だから、早速に開腹の手術をなさいと申しました。お腹を開いたところ、まず、盆に三、四杯の膿《うみ》が出た。その後に血膿にまみれたガーゼが三枚出てきたそうです。いまでもこのような失態があるのですから、医学万能の念もほどほどに、というところでしょうか」

この後、約二十例ほどの難病治癒例が報告された。「急性脳膜炎」「てんかん症」「出産予定直前の腎臓結石痛」「小児マヒ」「ネフローゼ」「腰椎《ようつい》カリエス」「重度のヘルニア」ｅｔｃ。

逸美は、なかばぼんやりとそれらの症例、聖気加持による治癒報告を聞いていた。

信じたい気持ちだけがそこにあった。

信じない理由はどこにもなかった。

彼女はただ、自分の業苦から救われたかったのである。

「気球が落ちていく」

その気球の上では、志織が絶叫していた。

アフリカの蒼空《そうくう》から。

シンバ（ライオン）たちは不思議そうにこの落下物を眺めていた。

そのときに、はっきりと見たのだ。

落下していく気球と、泣き叫ぶ志織の顔を。

「何があっても不思議ではない」

逸美はそう考えていた。

その日、逸美は入信の手続きをとった。

手続きといっても至極《しごく》簡単なもので、住所・氏名・家族構成などを記す用紙一枚。あとは「入会賛助金」の二万円を払うだけだった。

後々の会費は、月三千円でよいという。

ただ、会の終わりに当たって、福田導心はこういうことを言った。

「本日はありがとうございました。〝ご縁の日〟ということで、初めてまいられた方が半数近く。そのほとんどの方の入会を見ることができました。まことに素晴らしいことでありま す。これを機に、皆さま方お互いに手を取りあって助けあい、同時に尊師の聖気にふれ、ついには大自在の境に達して、実り多い人生を歩んでいただきたい。

集会は毎週、月〜金の間行なっております。この間には、我々導心のうちの最低一人が出席してお話をいたします。土曜日は大集会。心玉尊師の奇跡を拝めるのはこの日だけです。月に一度はこうして〝ご縁の日〟があります。皆さん、こぞって、身辺で無明《むみょう》の悩みに苦しむご同輩をお連れください。

加えて言いますならば、来月初旬、七日から十一日まで、五日間の合宿研修がございます。入信一年に満たない方は、お誘い合わせのうえ、ぜひご参加いただきたい。これは、当〝聖気の会〟では必須の試練でありまして、この、たった五日間の行が先行きの信者さんの命運、聖気にあやかるあやからないを決めるのです。こぞってご参加ください。この研修中には、

心玉尊師が、普段は邪信を招くとして決してお見せにならない奇跡の数々を見せてくださいます」

間辺めぐみは目を輝かせて逸美に言った。

「ね。行こうよ、行こうよ」

「え？　研修会？」

「うん」

「だめよぉ。五日間も家なんて空けられるわけないじゃない」

「だって、お宅の息子さん、中学生でしょ？　赤ちゃんじゃないんだから、なんとかなるわよ」

「………」

「この会の先輩に聞いたんだけどさ。楽しいんだって、研修会って。女同士でぺちゃくちゃ好きなことしゃべってさ。尊師さまが宙に浮くとこ見られたりさ」

「宙に浮く？　まさか」

「まさかじゃないのよ。尊師さまって、気がたかぶるといつの間にか浮いちゃってることがよくあるみたいよ。〝おいおい、なんとかしてえな〟って言うんですって」

逸美は、ぷっと吹いてしまった。

そんなことのあるわけがない。

ただ、一面で百パーセント信じないという根拠もなかった。

逸美は、間辺めぐみと違って、大学で民族学、宗教学、心理学を学び、研究室にまではい

った人間である。疑似科学のようなものやオカルトに対しては、必ず一定の距離を置いて接するような体質ができていた。

簡単にあざむかれる自分ではない。そうした自負が逸美を大胆にしていた。

どこかであの導師がボロを出すのを確認したい。そうでなければ半信半疑のまま会を離れることになる。それでは非日常的な現象をまたもや不分明のままに放り出すことになるのではないか。

逸美は心の中でいろいろな言い訳を用意した後、結局のところ研修会への申し込みをした。

費用は、四泊五日で十二万五千円だった。

家計をがっちりと握って、多少のヘソクリもしている逸美にとって、出して出せない額ではない。

逸美は、申し込み書にサインをした。横で間辺めぐみが、はしゃいでその一挙手一投足を見守っていた。

三

長くてきれいな脚だった。

黒のストッキングにぴっちりと包まれたその脚を、秋山ルイは道満光彦の前でゆっくりと組み替えた。

道満は目のやり場に困って目を伏せた。

昼下がりの陽光が部屋いっぱいにこぼれていた。

大生部の勧めで、逸美がかかっている、サイコセラピスト、秋山ルイのオフィスである。四谷にある。

秋山ルイは、顔を伏せてもじもじしている道満の顔を面白そうに眺めた。

「道満くん」

「はい」

「いま、なんか見えた？」

「なんかって、何ですか」

「いま、私が脚を組み替えたときよ。なんか見えなかった？」

「や。別に。……何も見てません」

「パンツ見えなかった？」

「見てません」

道満の頰《ほお》が、みるみるまっ赤になった。

「なんだ。せっかくゆっくり脚を組み替えたのに」

秋山ルイは手元のメンソールシガレットを取って火をつけた。

「ほんとにパンツ見なかったの？」

「はい」

「道満くんって正直よね。それでいいのよ。だって、今日は私、はいてないんですもの」

道満の顔が、赤いのを通り越してグミ色になった。

「やだ。道満くんたら、変な顔の色になってる。私のオフィスで脳卒中おこしたりしないでよ」

秋山ルイは、きゃっきゃと手を打って喜んでいる。おおぶりで外人的な顔の造りを、極端なショートヘアがうまく締め上げている感じだ。身長は百七十近いのではないか。肩が広い。そのぶん、胸はやや薄いが、引き締まった腰から下には跳《は》ね返しそうな力があふれている。一見すれば彼女は二十代にしか見えないが、話をするとそれ相応の年齢であるのがわかる。甘くかすれた声で、ぽんぽんと放たれる言葉が、けっこうえげつないからだ。

道満は、なんとか顔の紅潮をおさめると、上目遣いに秋山ルイをにらんだ。

「先生。ぼくで遊んでますね？」

「あら、わかった？」

秋山ルイは、ハスキーな声でケラケラ笑った。

「だって、ヒマなんだもん。ときどき、パンツはかずにオフィスに出て、男の子からかいたくもなるわよ」

「え？　ほんとにはいてないのですか」

「はいてないわよ。これって、とってもスリルよ」

「なんか、やらしいなあ」

「当たり前じゃない。やらしいわよ。だって私が精神科選んだのは、自分がニンフォマニア（淫乱症）じゃないかって、あんまり心配だったからなのよ」

「そうなんですか」

「だってそうでしょ。十五の年に義父にエッチされてから、男がもう好きで好きで」

「はあ」

「そのくせ、女学校での成績はトップなのよ。これって変でしょう？」

「ええまあ」

「カトリックの学校だったから、神父さまにも相談に行ったわ」

「で、どうでした？」

「神父さまとも、しっかりしちゃったのよ」

「はあ」

「宗教ってだめよ、その辺」

「だめなのは先生でしょうが」

「それで、フロイトにはまったのよね。その後、フランスに渡ってユングの研究所にも行ったの。三年間。駒沢大学の仏教科出たあと。帰ってきて医大に入ったんだけどね」

「はい」

「フランスの男って、ちっちゃくてダメね。それで早いの。でもってやたらと言い訳が多いのよ」

「はあ」

「その点、道満くんなんか、とってもおいしそうよ。私の目から見ると」

「そうですか」

「一度……どう？」

ないんだから」

「二度でも三度でもいいのよ。いま、ここでもいいのよ。どうせ患者さんなんか、来やし
「ええ」

「来ませんか、患者さん」

「来るもんですか。だいたい、あんたのお師匠さんの大生部教授が悪いのよ。〝これからの日本は精神文化の時代になる。一家に一人は、かかりつけのサイコセラピストが必要になる〟なあんちゃって。私、すっかりのせられちゃったわよ」

「来ませんか、患者さん」

「来るもんですか。だいたい、〝患者〟なんて言葉が自然に出てくるうちはダメなのよ。いかにも精神異常みたいじゃない、来る人が。〝クライアント〟って言ってもらわないと」

「クライアント。なるほど。その〝クライアント〟がさっぱり来ないわけですね」

「五時に一人、ノイローゼ気味の社長さんが来るだけよ。今日はそれだけ。だから、ね、道満くん。時間はたっぷりあるのよ。お姉さんが、変わったこといろいろ教えてあげようか。ん?」

秋山ルイは、とろけそうな目になって道満の膝《ひざ》や腿《もも》をなでまわした。道満は、エレクトしていた。

そこを探られる前に、大声を出して秋山ルイの攻勢をそぐことにした。

「今日は、そういうことではなくして、大生部先生からの伝言をお伝えしに来たのです」

ルイは、その大声にややひるんだようだった。

「まっ。あのヒヒおやじが、私に何の伝言なのよ」

「ヒヒおやじ？」

「いくときにヒーヒー言うから〝ヒヒおやじ〟よ」

「ということは、大生部先生とも、その……なさったんですか」

「なさったわよ。私のまわりで、なさってないのって、道満くん、キミくらいのものよ」

「それは光栄です」

「大生部のおっさんったら、アル中でしょ。一緒に飲んであたしのマンションに泊まったのはいいんだけど、どうにもフニャチンなのよ。そこは私もニンフォマニアだから、いろんなことして男にしてあげたのよ。でも、翌日起きたら何にも覚えてないの。裸で寝てるベッドのまわりをきょろきょろ見まわして、何て言ったと思う？」

「さあ」

「〝私は君の貞操を汚したのかね〟だって。ああっはっはっは」

道満もつられて笑った。いかにも大生部の言いそうなことだ。

「だからあたし、言ってやったのよ。〝あなた、私の貞操を三回も汚したのよ〟って。そしたら先生、とっても嬉《うれ》しそうな顔してた」

「ほんとに先生は三回もなさったんですか」

「バカね。リップサービスよ」

「というと、口で……」

パシッと道満の頰が鳴った。いいパンチであった。

「いい加減にしなさい。冗談で言ってるの？」

「いや……、決して」

「リップサービスってのは、〝ヨイショ〟のことよ。ほんとに師弟そろってバカなんだから」

「申し訳ありません」

ルイは冷蔵庫から氷と水を出し、小さなホームバーのカウンターでスコッチの水割りを作った。

「飲みなさいよ、あなた」

「あ、私は……」

「日が高いからいやなの？　リラックスするのにはいいわよ、アルコールは。少しならね」

道満は、渡された水割りを少し啜《すす》った。

胃の腑《ふ》にガス灯が点《とも》った。

「で。大生部先生の伝言って何なの？」

道満は、グラスの中の液体を、ぐっと半分ほど飲んでから言った。

「奥さんの逸美さんのことなんですよ」

「逸美さん？　あの人、どうかしたの？　私の見た限りでは可もなし不可もなしって状態よ。娘さんを亡くしたことが、ひどい精神外傷《トラウマ》になってる。自分を責めてるのよ。でも、それって十年や二十年でなおる傷じゃないのよ。だいたい、大生部先生が家庭を放ったらかしにしてるから余計に事態が良くならないのよ。おまけに、自分がエッチした相手に、自分の奥さんをカウンセリングさせるなんて、どういう神経してるのかしら。あの、バカヒヒおやじ」

「うーん。ついにヒヒおやじに〝バカ〟がつきましたか」

「で。逸美さんがどうしたのよ」

「どうやら、変てこな宗教にひっからまっちゃったようで」

「新興宗教？」

「〝聖気の会〟っていうんですがね」

「聖気の会？」

「ええ。なんでも沢井心玉《しんたま》っていう教祖がいて、その人がいろんな超常現象を起こすらしいんです。近所のおばさんの誘いで、一回行ってそれっきりはまってしまったみたいで」

「そういえば逸美さんは、ここのところずっと来ていないわねえ」

ルイは整理ケースからカルテを出して調べた。

「この前来たのが四十六日前よ。それ以降、何のアポイントメントもない」

「その聖気の会の研修に五日間行った後、逸美さんはなにか洗脳されたようになって、言動もおかしいらしいのです。昨日、ベランダに出て〝オンアビラウンケン〟と唱えるに至って、大生部先生も、これは尋常でないと気づいた。今日からまた学会の出張なので、なにとぞ秋山先生と相談して、奥さまのことをたのむと、後事を私に託《たく》されたわけであります」

「新興宗教かあ」

ルイはうんざりしたように、前髪の生えぎわをぽりぽりと掻《か》いた。

「厄介《やっかい》なものにひっかかっちゃったわねえ」

「その聖気の会の心玉尊師という人物は、焚き火で焼いて灼熱した鉄の棒を平気でつかんだ

り、日本刀の刃の上を渡ったり、空中に浮いたりもするそうです。およそ考えられない超常能力を示すそうです。火や水の上を歩いたり、空中に浮いたりもするそうです」

「逸美さん、そんなことで入信しちゃったの？　インテリのくせに」

「インテリほどそういうことに弱いんじゃないでしょうか」

道満は言葉を選ぶように語った。

「私だって学者の端くれですから、超常現象らしきものはいくつも見ています。卒業論文は〝恐山《おそれざん》のイタコ〟についてでした」

秋山ルイは、口の中でぷっと笑って二杯目の水割りを作った。もちろん自分用である。

「ああいう口寄せや霊媒のたぐいなら、何とでも説明はつきますけれど、もし、目の前で火を渡り、宙に浮かれたら、私だってどうなるかわからない。入信を考えるかもしれません」

「そうね。火の上を渡れたら、火事のときに便利よね」

「もう一杯ください」

道満は、空になったグラスを差し出した。

「あら、元気がいいのね」

「飲む気になれば、一本くらいはへっちゃらです。少林寺やってましたから」

ルイはまた笑み崩れた。

「道満くんって、どうしてそう素頓狂《すっとんきょう》なことばっかり言えるのよ」

「素頓狂でしたか？」

「少林寺とお酒の強いのと何か関係あるの？」

「いや、それは、肉体鍛練と内臓諸器官の」

「シャラップよ。黙って飲みなさい」

氷が涼し気に鳴る、新しいグラスを、ルイは道満に手渡した。

「で、何の話だったっけ」

「つまりその、ご専門の心理学の分野から見て、そういう超常現象というのはどういうことになっているのでしょうか。ほんとうに有り得るものなのでしょうか」

「それを私に説明させるわけ？」

「ええ、まあ」

「心理学の分野では、その手のことはPSY《サイ》心理学、超心理学としてひとつの分野になってるわ。人気も高いけれど、実態は統計学をともなった、とっても辛気《しんき》くさいものよ。私なら三日で逃げ出すわね」

「はあ、そうなんですか」

「いまの若い人は、ちっちゃいときからSFやオカルト漬けになってるでしょ？　テレパシーにしてもPKにしても、あって当たり前だっていう前提のもとに物語《レシ》作りが始まるわけじゃない。これって、〝願望〟が共同幻想になった典型的な例よ。面白い話があるから教えてあげるわ。スコット・モリスっていう心理学者が、南イリノイ大学で十年ほど前にやったパフォーマンスなの。若い人たちってのは、超能力に異常な関心を持ってるでしょ？　で、モリスは知人のESP専門家を特別に授業に呼んだの。そのエスパーは、いくつかの超常現象を生徒の目の前でやって見せた。

たとえば1から5までの数字の中から、どれかを生徒に選ばせるの。その間、エスパーは教室の外に出ているわけ。で、数字カードが選ばれてから教室に戻ってくる。エスパーは、〝選んだカードは5ですね？〟と言う。もちろん当たっているのよ。学生っていうのは、オカルト好きだっていっても、根本的には理論で考えるわけよ。1から5までだから、当たる確率は五分の一よ。二回当たれば二十五分の一よ。それが五回、六回と当たると、統計学的には『有意』って言うんだけど、何らかの別作用が介在しないと有り得ないはずの、とんでもない数字になってくるわけ。たとえばそのエスパーが、五回続けてカードを当てたとすると、それは五の五乗。三千百二十五回に一回の確率でしかないわけよ。学生たちはそういうことを知っているから、数回目に当たったたときには大騒ぎになった」

「それは、トリックをつかったんでしょう。教室の中にサクラがいたんだ」

道満は嬉しそうに言った。

この前のテレビ番組での「超能力あばき」が脳裡《のうり》をよぎったのだ。

「そう。司会役をしていたモリス教授がサクラだったのよ」

「サインはどうやって送ったのですか」

「言葉よ」

「言葉？」

「〝1〟が〝では〟。〝2〟が〝それでは〟、〝3〟が〝すぐ〟。〝4〟が〝いまからすぐ〟っていう風にね。〝ではやってもらいましょうか〟とモリスが言ったら、それは数字が〝1〟だってことなのよ」

「四つしかサインがないけれど」

「それは、サイレントコードって言うの。何も言わないときには、自動的に〝5〟になるわけ」

「あっ。なるほどなあ」

「この実験では、モリスは最後までネタを伏せておいたの。一連のパフォーマンスを見せたあとで、まず、〝超常現象を信じる者は手をあげてください〟と言った。教室の八割の人間が手をあげた。その手をあげさせたまま、ネタをバラしていったわけ。一本、二本と手が下がっていって、学生たちはシュンとしてしまったんだって。人が悪いわね、毛唐《けとう》は」

「あなたの言葉遣いのほうがよっぽど悪い」

「モリスは授業のあと、こう言ったの。〝私がなぜこういうだましをやったと思う？　私は君たちに、いかに私たちがだまされやすい存在であるかを知ってほしかったのだ。君たちは、ほかに説明を思いつかないというだけの理由で、簡単にまちがった結論にとびついてしまう。それを知ってほしい。何か説明できないことがらがあっても、ただちにそれをスーパーナチュラルだと思いこまないでほしい〟。……ああ、素敵な男だわ、モリスって。一回、だまされてみたいわ」

話をしている間、理知的に輝いていたルイの目に、またトロンとモヤがかかった。

道満はそんなルイにかまわず質問をあびせる。

「というのは、つまり超能力というのは〝ない〟ということですか」

ルイはため息をつくようにして答えた。

「バカね。そんなこっちゃないわよ。いまの話は、学究肌の人間ほど盲点が多くってだまされやすいっていう例じゃないの」

「じゃ、超常現象ってのは、やはりあるんですか」

「あなたが思ってるような、派手なものじゃないけどね。たとえばデューク大学のライン教授のことは知ってるでしょ？」

「はい。ずっとテレパシーやPKの研究をしているという」

「ESPカードを使って、ESPカードってのは○□☆≋＋の五種類のカードなんだけど、これを封筒に入れて中身を当てる実験をくり返すの。二十五枚を一組にして、これを七十四セット。合計千八百五十回やって適中回数が五百五十八回だった。五分の一の確率でいくと三百七十回の適中回数だから、それより百八十八回多い。偶然にこの数字が出得るのは十二十二乗分の一回の確率だから、これは有意とみなさざるを得ない。そんな統計をとっているのが超心理学の現場なのよ。ね？　辛気くさいって言ったのもわかるでしょ」

「火の上を歩くとか、水の上を歩くとかいうのとは、ずいぶん次元が違いますね」

「あたしはそっちのほうが好きよ。火の上を歩くほうが」

「はあ」

秋山ルイは、またゆっくりと脚を組み替えた。

「あなたも、火遊びは好きなんじゃないの？」

道満はまたカッと体が熱くなった。

「要するに、逸美さんがそういう状況になってるから、一度会ってカウンセリングしてほし

い。ヒヒおやじはそう言いたかったんでしょ？」

「はあ、そういうことです」

「そんなことは重々承知したわよ。あなた、それだけ言いに来たの？　子供の使いじゃないんだから」

秋山ルイは立ち上がると、タイトスカートの中で張り詰めた腰を、道満の膝の上にゆっくりとおろした。しなやかな腕が道満の首にかかる。

「ね。いや？」

「え……。いやじゃないです」

「したい？」

「したいです」

道満はついにやる気になっていた。ルイはそんな道満の顎《あご》をなでながら言った。

「そう。でも、できないのよ、坊や」

「え？」

「今日から生理になっちゃったのよ」

そう言うとルイは道満の頭をぽんと叩《たた》いて〝あっははは〟と笑った。

局のミーティング・ルームで、馬飼は苦虫を嚙《か》みつぶしたような顔をしていた。テーブルの上には十通ほどの企画書がこんもりと山をなしている。

「ったく。どいつもこいつも頭が変にいいのか悪いのか。人の考えるようなことしか考えん。

そのくせ、前口上だけは一人前だ」

ディレクターの水野は、冷めたコーヒーを飲みながら、居心地悪そうに言った。

「そのうちふたつは僕が書いたんですよ」

ミーティング・ルームの中は、プロデューサーの馬飼と水野の二人だけだった。

身長百九十センチ、こぶしに空手ダコのできた馬飼と二人きりでいると、水野はなんだかヤクザの親分に恐喝でもされている気分になる。

おまけに今日の馬飼は牛でも殺しそうなほどに気が立っているようだった。

「君の書いた企画書がふたつはいってるのか。どれとどれだ」

「はあ、言わなきゃいけないですか」

「言え」

「その、〝タレント対抗エッチゲーム〟ってのと、〝若者はいま—アルバイター大討論〟って奴《やつ》です」

馬飼は首を横に振って苦く笑った。目だけが笑っていなかった。その強く冷たい眼光で水野を見ると、馬飼は言った。

「もういっぺん、〝CM進行部〟へ戻るか？　水野」

「あ……いや……」

「制作局へ来たのが間違いだったんじゃないのか？　なにが〝タレント対抗エッチゲーム〟だ。この阿呆っ。落ち目のタレントに氷の口移しゲームなんぞやらせて何パーセント取れると思ってるんだ」

「はい、すみません」

「低俗でいくならとことん低俗でいけ。クレームがくるくらいにな。視聴者をナメるんなら、とことん、足の指の先までナメろ。向こうが怒り出すくらいでないと、パーセントは取れない。いつも言ってるだろう」

「申し訳ありません」

「もう一本のこの企画は何だ。〝若者はいま―アルバイター大討論〟てのは」

「それはつまり、今〝フリーター〟って呼ばれてる若者が増えてますから、彼らの生の声をですね……」

　馬飼はため息をついた。

「いいか。秋の改編時の特番なんだぞ。君は営業にまわった経験が少いからわからんだろうが、この時期の特番の視聴率ってのは全ローカルネット局のふところに響くんだ。各局の営業は必死になってスポット広告を売ってる。その際の決め手になるのは視聴率だ。一千万円出そうって企業は、その一千万で、トータル何パーセントの視聴率が〝買える〟かって計算をするんだ。これが〝パー・コスト〟だ。それくらい知ってるだろう」

「はい」

「たいていの企業の新年度の予算は、四月と九月から始まる。だから、広告営業は三月、八月が決め手なんだ。ビデオリサーチやニールセンの視聴率を上げるために、三月、八月は特番の目白押しになる。これはテレビ局にとっては年に二度の修羅場だ」

「はい。わかってます」

「わかってるもんか。そんな大事なときに、なにが〝アルバイター大討論〟だ。うちはNHKじゃないんだぞ」

水野はすっかりしょげかえってしまった。

馬飼はそんな水野を見て、含み笑いをした。自分が駆け出しの頃、おなじセリフで先輩にどなられたのを思い出したからである。

「まあいい。企画がなってない以上、一から出直しだ。一杯飲んで、二人で考えようや」

馬飼は、自分のブリーフケースからウィスキーのポケット壜《びん》を取り出して、一口飲んだ。

「君もやれ。頭が柔らかくなるぞ」

「はあ」

水野は、きょとんとして差し出されたボトルを眺めている。

「どうした。おれは変な病気なんか持ってないから安心しろよ。なんなら口移しで飲ませてやろうか」

水野は、ポケット壜を手に取ると、いさぎよくたっぷりと口に含んだ。

「いや。この前の特番の、大生部教授のことを思い出したんですよ。あの人、ちょっとヤバいのかな。いつもウィスキーのハーフボトルをポケットから出してあおってた」

「大生部さんか。あの人は正真正銘のアル中だよ。特に、テレビに出るときにはアルコールがないとしゃべれないんだ」

「そうなんですか」

「あの特番は何パーセント出たんだっけ」

「十二・三パーセントです」

「ほう。けっこう良かったんだな」

「もっとも、終了時のパーセントが悪くて、八パーセントを切るとこでしたけどね」

「前半のヤマが面白かったからな。ミスター・ミラクルの仕掛けた山伏みたいなおっさんには、俺《おれ》もまんまと一杯喰《く》わされたよ。その点、後半は心霊手術とかのビデオばっかりで、臨場感というか、人間同士のむき出しの葛藤《かっとう》がなかった。終了時の視聴率が悪かったのは、その辺のことだろう」

「でも、手堅いですよねえ、オカルティックなものっていうのは」

「視聴者ってものは、自分を取り巻く日常以外のものを見たがってるんだ。〝ハイ〟か〝ロウ〟か〝スーパー〟か、この三つのうちのどれかだ」

「どういうことですか、それは」

　馬飼は、再びウィスキーを含むと、音を立てて飲み下した。

「〝ハイ〟ってのは要するに〝紀子さまブーム〟みたいなもののことだ。だいたいが、いまのテレビの普及の根幹ってのは、〝皇太子ご成婚〟にあるんだからな」

「うちのオヤジなんかは、力道山が見たくてテレビ買いましたけど」

「力道山も、東京オリンピックも、これは〝スーパー〟の部にはいるだろう。オカルトものがはやるのもこれは〝スーパー・ナチュラリズム〟だからだ」

「なるほど。じゃ、〝ロウ〟ってのは何なんです」

「〝ロウ〟ってのはつまり、差別対象になる人間のことだよ。〝エマニエル坊や〟とか〝ニカ

ウさん〃とかね。あるいはＣＦの〃どんとポッチイ〃の原始人。アホの坂田なんてのもそうだ」

「いいんですか、テレビ局の人間がそういう発言をして」

「オンエアされないから言ってるんだ。もしテレビ局の人間がこういった〃ロウ〃の構造を知らないで、単に視聴率かせぎのためにムチャをやってると、とんでもないことになるぞ。たとえば〃ブッシュマン〃、いまは部族の名をとって〃コイサンマン〃になったが、あのニカウさん云々《うんぬん》だって、実はギリギリの線だったんだ」

水野は、ミーティング・ルームの隣にある湯沸室から、おおぶりのグラスに水を汲んできた。ついでに冷蔵庫から氷も取ってきた。

どうやら今夜は家に帰れそうもないと踏んだからである。

「ニカウさんが〃ギリギリ〃の線だったとはどういうことですか」

水野は、氷や水、グラスを馬飼の前に置くと問い直した。

馬飼はプラスチックのグラスにウィスキーを注ぎ、氷を放り込むと指でかきまわしながら言った。

「一九八三年のことだ。その前の年に公開された映画〃ブッシュマン〃は、興行収入二十三億六千万を超えるヒットになった。空前のヒットだ」

「二十三億？」

水野は天をあおいで口笛を鳴らした。

「それだけじゃない。もちろん、ビデオの販売権もあれば、何よりテレビ放映の権利金とい

うものがある。テレビの放映権を獲得したのはフジテレビだ。

もちろんのことに、フジテレビはニカウ氏を日本に招いて事前キャンペーンをした。ニカウさんは、テレビ局の思惑通りに立派な〝土人ぶり〟を発揮してくれた。山のことを、〝大きな土〟と言ったり、海は〝大きな水〟、雪は〝白い地面〟って風にな。いろんな番組でニカウ氏が果たした宣伝効果というのは、少く見つもって五、六億円だと言われてる」

「どうしてそんなに受けたんですかね」

「日本人の優越感を彼がくすぐったからだよ。たとえば、外人が日本人に対して〝サムライ〟〝ニンジャ〟といったイメージしか持っていないところへ、ちょうどソニー千葉が忍者の格好をして現われたようなもんだ」

「なるほど」

「ニカウさんというのは、ナミビアの〝コイサン族〟の人間だ。国の中でも少数部族に当たる。〝ブッシュマン〟は南アフリカ共和国の作った映画だ。南アフリカは、いまでも隣国のナミビアを不当な理由で統治している。南アにとっては、辺境民族の未開度を描いた映画がヒットすることは、アパルトヘイト政策上、とても都合のいいことだったわけだ。ニカウ氏がバカなことをすればするほど、それは白人たちにとっての論拠になるわけだ。アフリカ人には、国家を運営する能力などないっていうね」

「ひどい話ですね」

「〝ブッシュマン〟云々については、当時の駐日ソマリア大使から安倍外相に抗議があったのみだ。そのままうやむやになってしまった。これは政治情勢が日本のマスコミにプラスし

たケースだ。ところが、〃ロウ〃で当てようと思っても、そうはいかないケースもある」

「ほかにもあるんですか」

「八二年、八三年と、〃ブッシュマン〃が大当たりした。で、八四年の十月にテレビ東京が似たような企画をやったんだ。〃アフリカからポコト族がやってきた！　ニッポン初体験旅行・文明って何だ⁉〃てえ番組だ」

「知らないなあ、そんなの」

「ポコト族というのは、ケニアの部族だ。ここの夫婦を招いて、番組に出演させ、電話機を見せて、〃こんなもの、見たことあるか？〃てなことをやった」

「ひどいなあ」

「ケニアのモイ大統領は、国内西部での住民集会でこのことを話し、〃日本人はケニア人を無教養、原始的と描いてケニア人を侮辱した〃と演説した。ケニアというのはナイロビをかかえるアフリカの最先進国家だ。新聞は毎日のようにこのことを書き立てた。最有力紙の〃ネーション〃は、〃日本人のテレビでのポコト族への扱いは、アフリカ人を観光客用の博物館展示物とみなす植民地主義者の態度と同じ〃と言っている」

「テレビ人としては耳が痛いですね」

「痛いよ。そればっかりじゃない。外交問題にまで発展したんだ。この時期に予定されていた、ワンジギ観光相なんかのケニア要人の訪日が延期された。アフリカを訪問していた安倍外相は、特別機にナイロビで給油することを拒否された」

「たいへんなことになったんですね。たかがテレビ番組で」

「さ、そこだ」

馬飼はうまそうに、水野の作った水割りを飲んだ。

「おれは別に天下国家を論じてるわけじゃない。ただの〃視聴率屋〃だ。〃ロウ〃の世界をうまく描けばパーセントが取れるってことはわかってる。今度の特番の予算は四千万だ。四千万で何ができる。マイケル・ジャクソンを一日借りることができるか。え?」

「三億あっても無理でしょうね」

「だから、〃ハイ〃は無理なんだ。かといって〃ロウ〃だけでも〃スーパー〃だけでもだめだ」

「じゃ、どうするんです」

馬飼は、三分の一ほどに減ったグラスにウィスキーをつぎたすと、にたっと笑った。

「くっつけるんだよ。〃ロウ〃と〃スーパー〃を」

「くっつける?」

「日本人は、戦後の自分たちのことなんか忘れて、毛布一枚、石けん一個に困っている人たちを見たがっている。ひょっとすると、ほんとうは覚えていて、自分たちの豊かな現状を再確認したいのかもしらんがね。おれにはわからん。昭和二十六年の生まれだからな。とりあえず、〃不幸〃を見たがるのは四十代以上のおばさんたちだ。医療施設も薬もないから呪術《じゅじゅつ》にたよる、そんな人たちを見たいんだ。これに首を突っ込んでくるのは、日本のオカルト好きの若い連中だ。つまりは〃ロウ〃と〃スーパー〃をくっつけるわけだよ」

「具体的に言うと、どういう」

「大生部をアフリカに行かせるんだ。もともとあのセンセの専門は呪術だろ。部族の習俗も撮れる。呪術も撮れる。これすなわち〝ロウ〟プラス〝スーパー〟だ。おまけにセレンゲティ国立公園あたりまで足を伸ばせば、野生のライオンでもチータでも撮り放題だぞ。大生部教授に、ちょっと知性派のタレントの一人もつけて。そうだなあ、あとは、やたらにキャアキャア騒ぐような、アイドルの女の子だな」

「面白いですね、それは」

馬飼は、グラスの水割りをゆっくりと飲み干してから、つまらなさそうに言った。

「ああ。十六パーセントはいくだろう」

四

逸美は、ほぼ連日〝聖気の会〟に通い詰めていた。

もちろんのことに、行ったところで心玉《しんたま》尊師の顔が拝めるわけではない。尊師が人前に顔を出すのは、週末の集会のときだけだった。

通常は福田を始め、〝導心〟と呼ばれるリーダーたちがいて、信者のミーティングをリードしてくれる。

逸美はここに、おおげさに言うなら〝新しい世界〟を見いだしていた。夫や子であるゆえの甘えもない。近所づきあいにある見栄も隠し立てもない。ほんものの人間同士の会話が、ここにはあるように思われた。

その契機となったのは、やはり最初の〝研修合宿〟だった。

逸美は間辺めぐみに誘われて、けっこう軽い気持ちで出かけていったのだが、これはとんだ見当ちがいだった。

合宿の一日目の講師は、山口という馬面《うまづら》の導心だった。

「あなた方は、今日、この合宿に参加するにあたって、何を持ってきましたか？」

いきなり山口は全員に尋ねた。

「あなた方がたぶん持ってきたであろう、シャンプーや何枚もの下着、歯みがき歯ブラシ、下地用のクリーム、化粧用具、リップスティック、シャドウ、パウダー、頰紅《ほおべに》。これらすべて、この〝聖気の会〟においては不要のものです。持っておる人は私にあずけてください」

集会所に集まった四十人ほどのおばさんが、一斉にごそごそと動き出した。

「導心さま、〝蒸しパン〟もあきまへんか」

素頓狂《すっとんきょう》な関西弁で尋ねたおばさんが一人いた。

山口導心も、これには笑いをこらえて、

「いや。〝蒸しパン〟はよろしい」

と答えた。

「とにかくこの五日間、要るものというのは自分の目、耳、口だけです。もちろん、食事はこちらで出す。皆さんのおうちでのように牛肉じゃ、ハンバーグじゃというわけにはいきませんが、別に菜食ではない。たとえば、今日の夕飯はカレーのようですが、運のいい人には豚の一切れもはいっております」

一斉に笑い声が起こった。

「入浴ももちろんしていただく。ただし、浴場にあるのは、ほんの小さな石けんが二、三個だけです。これを五日間、皆さんで使いまわしてもらわんといかん。我欲が勝って際限なく使ったりすると、他の人が迷惑をこうむるわけです。歯ももちろんみがいてもらいますが、歯ブラシ、歯みがきは使いません。手洗場にボウルと塩が置いてございます。この塩で口中を指で洗う。使う水はボウルに一杯。これで朝の口すすぎ、洗顔のすべてをまかなっていただきたい。家にあっては、歯をみがいている間中、水を流しっ放しというような人もおありでしょうが、ここではそれは許されん。なに、三日目くらいになれば、水のありがたさというものがよくわかってきます。化粧も無用。相手あっての化粧です。相手なくとも〝鏡を見たい〟という人は、この際、素顔の自分と対峙《たいじ》なさい。以上、申し上げましたことは、聖気を招ずるに有意のことゆえ、ひとつ、厳重に守っていただきたい」

出合い頭《がしら》の説法でそう述べると、山口導心は壇上を去った。

あとにはペチャクチャとうるさい、おばさんたちのおしゃべりが残るのみである。

それが午前十時。

その後、村松という導心の講義が二時間ほどあった。

たいしてむずかしい話ではない。

ことに各国の民族学に習熟している逸美には、ごく普通のアジア型大乗仏教の因果論だと思われた。

昼には、おむすびと焼きうどんの食事が出された。

強烈だったのは、その午後からである。

四十人ほどの参会者が、十人ずつ四つに分かれて、会場の板間の上に車座になる。ひとつのグループには一人の導心がついていた。

逸美のグループには、福田導心がついた。

「では、いまから〝通し〟と呼ばれているものを行ないます。人間というものは、本来は尊師のように、聖気がすうすうと通る管のようであるべきなのです。それが、邪欲・欲念で詰まっておる。この詰まりを取り払って聖気の風通しをよくしようというのが、この〝通し〟の行です。何をするかというと、皆さん、まわりの人の目の前で、おのれの過去の悪業因縁《あくごういんねん》を、つつみ隠さずおっしゃっていただきたい。まわりの方は、その罪を海容したうえで、その人に甘え、あやまりがなかったかをどしどしと指摘していただきたいのです。キリストの言ではありませんが、この中に罪のない人はいないと思う。罪があるからこそこの〝聖気の会〟に来られたのでしょう。その辺の事情を吐露していただきたい。吐けば吐くほどおのれの身が軽くなるのを、皆さん確認なさるでしょう」

福田は、輪をなしている十人の人間を見まわした。全員がうつむいている。

福田は、頭を掻《か》いて言葉を継いだ。

「まあ、そうでしょうね。いきなり自分の恥部をさらして懺悔《ざんげ》をしろと言っても、これは不可能でしょう。私だって、あなた方の立場にあれば、自分から進んで告白をすることなんてできっこありません。ここはひとつ、私が率先して打ち明け話をしましょう。この聖気の会に見えられる方は、皆、同じような陰《かげ》を抱いておられる。だからこそここに来られたはずで

す。その陰を、いま、ここで開くのです。聖気の陽光に当てるのです。一度聖気に当てられた陰は、干物のようにたよりない存在になります。だから私は、何十度も同じ告白をできるのです。私は、人を、殺しました」

　福田はその面々を眺め渡しながら、落ち着いた様子で話した。

　サークルをなしていた十人ほどのおばさんが、一斉に息を呑《の》んだ。

「私はね。皆さん笑われるかもしれませんが、プロのレスラーになろうと思っていたのです。中学生の頃からウェイトトレーニング、ランニング、スクワットにはげみ、高校は都内で一番強いレスリング部のある学校を選びました。アマレスで、国体は三度、インターハイは二度出場しております。七十八キロ級で準優勝もいたしました。このほかに、十六から十九まで、極真空手を学びまして、打撃系の格闘技も身につけた。高校を出た頃には、それこそクマをも殺すという意気込みでした。で、万全の準備を整えて、新日本プロレスの門を叩《たた》いた」

　逸美の隣にいたおばさんが、かすれた声を立てた。

「ジャイアント馬場んとこね」

　福田はそのおばさんをじろりとにらんだ。

「馬場は全日本。新日本は猪木先生のところです」

「ひゃは」

　変な声を出して、おばさんはうろたえた。

　福田は無視して話を続ける。

「そうして新日本プロレスの門を叩いたのですが、門前ではねられてしまった。いかんせん、身長が足りなかったせいであります。百八十センチないといかんのに、私は百六十九センチしかなかった。無念でした。プロのレスラーになるのを諦《あきら》めて、土建会社にはいったのですが、ここにはやはり力自慢がうようよいるわけでして、強くなければ男でないというような気風がある。私は、うっぷんもたまっていることでもあり、なめられてはいかんという気もあって、ことあるごとに殴《なぐ》り合いの喧嘩《けんか》をいたしました。

その中で、どうしても勝てない相手がいた。岩松さんという人なのですが、名前の通り岩でできたような人です。些細《ささい》なことから、二、三度殴り合いになりましたが、どうしても勝てない。いまにして思えば、この人には聖気が通っていたのだが、当時の私は〝スタミナ〟の違いだと誤解をいたしました。

岩松さんというのは、親分肌でとても良い人なのですが、酒を飲むとどうしようもなくからんでくる癖があった。晴海の埋立地の飯場で、私と岩松さんはとうとうのっぴきならないことになりました。表へ出てカタをつけよう、ということになった。岩松さんはむちゃくちゃに殴りかかってきまして、私は正直、首が胴から離れるかと思ったほどです。で、私は身の危険を感じまして、とうとう封印していたプロレスの技を出してしまった。〝ボディ・スラム〟という、とても簡単な技です。相手を横抱きにしてかかえ上げ、マットに叩きつける。プロレスでは〝あいさつ〟のような技です。ところが、岩松さんはこれで死んでしまった。私も、頭に血がのぼっていたので、下が波止場のコンクリートだということを失念していたのです。マットに投げておるつもりだった。岩松さんはこのときに後頭部を強打して三日後

に亡くなりました」

福田はそう言って合掌した。

「それはでも……」

逸美は思わず声を出した。

福田は目を上げて逸美を見る。

「それはでも……何ですか？」

逸美は返答に困った。かすんでゆくボキャブラリーの中から、なんとか言葉をひろい出す。

「それは、仕方なかったんじゃないですか？」

「仕方？」

福田は笑った。

「仕方はいくらでもあったのですよ。あなた、名は何とおっしゃるのですか？」

「大生部です。大生部逸美です」

「大生部さん。仕方はいくらでもあったのですよ。たとえば、喧嘩になる前に、私が自分を抑えればよかった。喧嘩になったとしても、殺してまで勝つ必要はどこにもなかったのだ。自分の精一杯のところまで闘って、相手に、こいつとはもう二度と闘いたくない、とそう思わせたところで負けてやればよかったのです。コンクリートの床の上に叩きつける必要はどこにもなかった。そうでしょう？」

「それは……そうです」

「こんなことは、私がこの聖気の会にはいって、初めて得心したことです。それまでの私と

いうものは、〝おれは悪くない〟〝おれは悪くない〟の一点張りでした。そうして自分を護《まも》ろうとしていたのです。

心玉尊師に初めてお会いしたときに、まず私はこのことを、かつて人を殺したことを懺悔いたしました。そのとき、尊師がどうおっしゃったと思われます？」

「さあ……」

「〝相手も災難なことやが、それはあんたに殺される宿命を持ってきたんや。あんたは、人を殺さんと自分の業に目醒《めざ》めん。なるようになったから、あんたはいま私の前におるのや〟。こうおっしゃいました」

そう言うと、福田ははらはらと涙をこぼした。

サークルをなしているおばさんたちの何人かが、ガーゼをどこからか出して目をぬぐった。

福田もハンカチで目を拭《ふ》くと、今度はきりりとした表情になって面を立てた。

「つまらぬ涙をお見せしました。人一人殺した私の罪、こうして何度皆さんの前でさらそうと、その汚濁《おだく》はぬぐいきれるものではありません。しかし、私は、こうして自分の罪をさらして心を痛めるたびに、身が軽くなっていくような気がするのです。人は誰《だれ》でも心に重い石をかかえております。これを、少しずつでも砕いては外に出していく。これが〝通す〟ということであります。そして、それに対しては遠慮会釈《えんりよえしやく》のない批判をこの場の人々が浴びせていただきたい。人間というのは、自分が可愛い。自分を護るものです。近代の社会にあっては、隣近所もまた直接に人を責めることをしない。お追従《ついしよう》のようなことばかり申して、裏で陰口を叩きます。これが回りまわって、かえって人を傷つけるのです。この聖気の会の場で

は、どうぞ、ご自分の内のわだかまりを言葉にして放っていただきたい。その言葉の中には、皆さんの〝真〟もあれば〝虚〟もある。知ると知らぬと我が身に托した〝いつわり〟もあるかもしれません。そうしたことすべて、かまいませんから聖気のもたらす白光のもとにさらけ出してほしいのです」

逸美の隣にいたおばさんが、そのときワッと泣き出した。

「何か言いたいことがあるのですね？」

福田が水を向けると、おばさんは憑《つ》かれたようにしゃべり始めた。

内容はありふれたことだった。

この人は、夫が酒乱で家に金を入れないために、仕方なくパートに出たのだった。パート先で知り合った五十男に魅力を感じて、肉体関係を結んでしまった。

ひょんなことから夫がそれを知り、家の中は殴る蹴《け》るの毎日が続いている。高校生の息子はグレて、連日、友人の家を転々としている、といったものだった。

福田導心は、こうしたケースには慣れているのだろう、にこやかに微笑《ほほえ》みながら、サークルの全員を見渡した。

「気の毒なことです。ただ、私には〝気の毒〟とばかりは言っておれない、そういう思いがある。皆さん、その辺はどうなのでしょうか。ご本人に、自らの災禍を招いた責任がないのかどうか。その辺が私には気がかりなのです。どうか、この場は〝恨みっこなし〟の精神で、皆さん思ったことを言ってください」

逸美が驚いたことには、福田導心が言い終わるのを待たずに、一人の女が口を開いた。

「こう言っちゃむごいけど、それはあんたが悪いのよ」

「私が悪い？　私のどこが悪いんですか」

おばさんはムキになって反論する。

「悪いってのは、つまりさ。あなたが〝自分は正しい〟って思ってる、それが悪いのよ。それが家の空気をどんどん重くしてって、亭主は話もできないから、酒ばっかり飲むわよ」

「そんな、ムチャクチャ、よく言えるわね。人の家のことも知らないで」

おばさんは中腰になった。

相手の主婦はおばさんが血相を変えても、別に動じた風はない。

「へっ。ウチなんか、それどころじゃないんだからね。あんたの家なんか、ウチに比べりゃ天国よ」

「何がどう天国なのよ」

つかみ合いになりそうになったところを、福田導心がおさめた。

「まあまあ。〝不幸比べ〟になっちゃいますと収拾がつきませんから。ここはひとつ、一人ずつの悩みについて皆さんの意見を聞いていく、ということにしませんか」

その後、サークルの全員から、おばさんの悩みについていろいろな意見が出された。

逸美が驚いたのは、それらがほとんど、同情的でない、手厳しい意見であることだった。

曰《いわ》く、
●夫をアル中にまで追いやったのは、家庭にやすらぎがなかったのではないか。
●酔った夫が暴力をふるうのは、それ相応の物言いをしたのではないか。

●すべては、この主婦の浮気に端を発しているのではないか。

といったことだった。

おばさんは、最初のうちは全員の思わぬ攻撃にあってふてくされていたが、そのうちにまるで他人事のように熱心に討論に首を突っ込み始めた。

十人で輪を結んだサークルは、そのうちに過熱し始めて、結局、〝すべては男が悪い〟という結論に落ち着こうとしていた。

福田導心は、いつものことなのだろう、苦く笑ってことのなりゆきを見つめている。

おばさんたちのおしゃべりが少し静まった頃を見はからって、福田導心がまとめにはいった。

「なるほど、男というものは仕方のないもので、それというのも男の体には聖気が通じにくいからだと尊師はおっしゃっておられます。女の人は何も教えられずとも、聖気に通じて子を産み、育てますから。その点、男というのはどうしようもないもので。かまいませんからこの集会では思ったことをどんどん言ってください。いまの調子でいいのです。心にひっかかっていることは、人の前でほどいてください。お互い、それをするわけですから迷惑なんかではありません。では、次はどなたに語っていただきましょうか。あなた、どうですか？」

福田導心の目が、まっすぐに逸美を刺していた。

逸美は心の中で大きくためらっていた。

福田導心だけでなく、その座の十人ほどのおばさんたちの目も逸美に注がれている。

彼女たちにとって、逸美はなんとなく気になる存在であるらしかった。まず第一に逸美はおばさんたちと違って無口である。それでいて目の光や表情には知性の深さを感じさせるものがあった。そして何よりも、この一団の中に置かれると逸美の風貌《ふうぼう》の美しさは際立って見えた。

つまり、おばさんたちは無意識のうちに、逸美に対して〝別の人種〟の匂《にお》いを嗅《か》ぎとっていたのだった。その匂いは、かすかな警戒心と同時に抑えがたい好奇心をおばさんたちに引き起こしていた。

全員の注視の中で逸美はとうとう観念した。

今では人生の伴侶となってしまったような、自分の心の中の闇《やみ》を、この場で語り切ってしまう決心をしたのである。

「私は……」

逸美は一言放ってから唾《つば》を呑み込み、息を整えた。

「私は自分の不注意から娘を死なせてしまいました」

おばさんたちの間に緊張が走った。

福田導心が沈んだ声で尋ねる。

「お気の毒に。どういう事情で娘さんは亡くなられたのですか」

「事故でした」

「交通事故かい？」

おばさんの一人が身を乗り出す。

逸美はかすかに微笑んだ。

「いえ。気球が墜落したんです。ケニアのマラキシという町の近くで……」

「ケニアって……アマゾン川のある……」

さっきから素頓狂なまちがいばかり言ってみんなを笑わせているおばさんが、またもや大ヒットを飛ばした。

「アマゾン川ってのは南米ですよ、北口さん。ケニアはアフリカの国です」

福田導心が苦笑いして訂正する。

「とんでもないところでとんでもない事故にあったんだねえ。かわいそうに」

北口と呼ばれたおばさんは、目を丸くして逸美を見た。

「ええ。それだけに……思い出すと気が狂いそうになります。私が殺したようなものなんです」

逸美は凍りついた表情で話し始めた。高い崖《がけ》の上から谷底を見るように、彼女はおそるおそる自分の記憶の深淵《しんえん》を覗《のぞ》き込んだ。

五

「バルーンに乗ってみませんか」

その話を持ち出したのは、ガイドのオボテだった。キスムに着いて十日ほどたった頃である。

キスムはナイロビから北西二百数十キロ、車で六時間ほどの距離にある街だ。ケニアではナイロビ、モンバサにつぐ都市で、ヴィクトリア湖に面している。ヴィクトリア湖は世界で二番目に大きな淡水湖で、九州がすっぽりおさまるほどの広大な面積を有している。ほとんど〝海〟としか感じられないようなその水平線に夕陽《ゆうひ》が沈んでいく光景は美しかったが、逸美はすでにその夕陽にもうんざりし始めていた。もう十日も娘の志織とこの街に二人でいるのだ。夫の大生部はケニアとウガンダの国境沿いの村へ出かけていったきりで、何の音沙汰《おとさた》もなかった。

ケニアに来たのは大生部、逸美、七つになる志織の三人である。息子の納はまだ五つだったので、さすがにアフリカまで連れてくるわけにはいかず、大生部の実家にあずけてきた。逸美と志織の滞在は一ヶ月ほどの予定だった。その間に、大生部は自分の調査対象の地域のロケーションハンティングをし、長期滞在するためのさまざまな行政手続きをしなければならない。調査地域のボスとかけあって家を確保するのも重要な問題だった。加えて、現場でのしっかりとした通訳、ガイドなどの現地人スタッフを調達しなければならない。そうしたもろもろの手配を手伝い、大生部の独り《ひと》暮らしのめどを立てるのが逸美の役割だった。大生部の現地滞在は短くても約一年には及ぶはずだった。

ところが大生部は、キスムに着くなり熱に浮かされたようになって、たった一人で国境沿いの地域へ行ってしまったのである。

逸美はナイロビとキスムで、煩雑な手続きを大生部のためにしたが、それがすべて終わっても時間はまだたっぷりと残っていた。なにせ本人が帰ってこないために、何もすることが

ないのだ。

逸美と志織は、毎日キスムの街を見てまわったり、路上のマーケットをうろついたりして過ごした。それも三日もすれば飽いてしまった。ケニアで三番目の街だとはいっても、ナイロビの巨大さとはケタが違う。半日も歩いてまわれば一周できてしまうくらいの小ぶりな街なのだ。

志織も最初のうちこそホテルの庭にまではいってくるインパラ（レイヨウの一種）やサヴァンナ・モンキーに目を輝かせていたが、さすがに退屈してきたようだ。

その気配を察して、ガイドのオボテが、バルーンの話を切り出したのである。

オボテは、大生部が現地へ行っている間に、逸美がキスムで見つけ出し採用したスタッフの一人である。英語はもちろんのこと、スワヒリ語と近辺の何種類かの部族語をしゃべれる、ルオー族の青年だ。逸美とオボテは、スワヒリ語まじりの英語でけっこう込み入った話でもすることができた。

「バルーン？　気球がどうしたの？」

「キスムから二時間くらい北へ行ったところのマラキシという町で、バルーンに乗ることができるんですよ、マダム」

「マサイマラにそういうバルーンがあるのは知ってるけど……」

観光用のバルーンはマサイマラ動物保護区の名物だった。野生動物の密度の高いことで知られる地域で、大阪府ほどの大きさの大草原に、ライオン、シマウマ、ゾウ、バッファローなどが豊富に棲息《せいそく》している。このサヴァンナを熱気球に乗って上から見渡すわけだ。サファ

リッアーの客に人気が高く、予約しても待たされるほどだと、逸美は聞いていた。

ただ、マサイマラとこのキスムとは遠く離れている。このキスムから北の地域には、いわゆるサファリツアーの客が行くような国立公園はない。

「マラキシって町なの？　でも、国立公園とか動物保護区じゃないでしょ。そんなところから気球に乗って、何が見えるの？」

オボテはにっこり笑って答えた。

「〝アフリカ〟ですよ、マダム。見渡すかぎりの緑野でしてね。とても景色のいいところなんです。その中にぽつりぽつりと家があって。観光客もほとんど行かない、お化粧してないアフリカを見ることができます」

「でも、変ねえ。誰《だれ》が何のためにそんなことやってるのかしら」

「自治体がやってるんですよ。このキスムから北へは観光客は誰も行きません。国立公園はナイロビからキスムまでの間に固まってますからね。マサイマラ、ツァボ、アンボセリ。一番近いところではナクル湖。ここでは二百万羽にもなるピンクフラミンゴの群れを見ることができます」

「キスムへ来る途中に見たわ。湖のふちが、遠目に見るとピンクのもやがかかったようになって。あれが全部フラミンゴなのよね」

「そう。でも、このキスムとヴィクトリア湖から北には、そういう名物ってのが何にもないんです。で、目をつけたのがバルーンです。マサイマラのバルーンは、人寄せにもなっているし、素晴らしい収入源にもなっているでしょう？」

「収入源？」

「マサイマラのバルーンは、乗るのに一人日本円で四万円から五万円くらいします。ケニア人の収入でいくと、四ヶ月分くらいの給料ですよ。どれだけ高いかわかるでしょう。ケニア人であんなものに乗ったことのある人、たぶん一人もいないんじゃないですか」

「それで目をつけたわけね」

「そう。去年から、そのバルーン、営業してます。でも、まだあまり有名じゃない。ときどき飛ばすくらいです」

志織が二人の会話に割ってはいった。

「ねえ、何の話してるの？」

「オボテがね、気球に乗らないかって言ってるのよ」

「気球？　気球って何？」

「軽気球よ。風船のおっきなのに箱がついてて、それに乗ってお空を飛ぶの」

「ほんとに？」

志織の目がそれまでの二倍くらいに見開かれた。逸美に似て、美しく大きな目だ。

「乗る、乗る。絶対乗る」

志織はカーペットの上で、足をばたばたと動かした。

「ねえ。ママもオボテも、一緒に乗ろうよ」

「どうしようかしら」

逸美は志織をじらせるようにとぼけてみせた。

「パパに訊《き》いてからにしないと」

志織はソファの上に立つと、トランポリンのようにはねながら叫んだ。

「パパなんて、いつ帰ってくるかわからないじゃない。ね、気球に乗ろうよ。明日行こうよ」

オボテはこの日本語の会話を横で眺めていたが、だいたいの察しはつくのだろう。にこにこして志織を見ている。

「ね。危なくないのかしら、気球って」

オボテは笑って首を振った。

「危なくありません。マサイマラで長い間使っていたのを下取りしてきたんだから」

「いやだ。中古《セコハン》なの？」

「中古だからいいんです。長い間一度もアクシデントがなかった。それだけ頑丈に作ってある。マサイマラは、気球に人気が出て、もっと大きいのに買い換えるために売ったのであって、ほんとはずっと使うつもりだったのです。〝ハクナ・マタタ〟ですよ」

「ハクナ・マタタなのね」

逸美も笑った。〝ハクナ・マタタ〟はスワヒリ語で〝問題ない〟の意である。ケニア人は会話でよくこれを使う。たとえ、多少問題があるときにでも……。

朝もやの中で、黒い人影が六、七人、ゆっくりと動いていた。折りたたんだ気球を、草原の上にひろげているのだ。太陽はまだ昇っていない。

逸美も志織も、地面にひろげられた気球の巨大さに目を見張った。縦に長い球体の、その長いほうで、三十メートルはあるのではないか。分厚い防火布でできたそのバルーンは、黄と赤とブルーの鮮やかなストライプに染められていた。

気球をひろげ終わった男たちは、横づけされたトラックに戻り、今度はゴンドラを荷台から降ろし始める。

ゴンドラは畳三畳ぶんくらいの大きさだろうか。竹か樹皮で頑丈に編まれた、いわば巨大なランチボックスのようなものだった。中が九つのブースに仕切られていて、まん中のブースにボンベとガスバーナーが設置されている。

志織は珍しそうにその中を覗《のぞ》き込んでいる。

長身の中年の黒人が近づいてきた。

スワヒリ語でオボテに話しかける。

「この人がヘムリです。今日、気球を操縦してくれます」

「ジャンボ！（こんにちは）」

ヘムリが志織に笑って話しかけた。

「ジャンボ！　ハバリ・ガニ？（ごきげんいかが？）」

志織の答えたスワヒリ語にヘムリは目を丸くした。

「ンズリ・サーナ（とてもいいです）」

オボテも逸美も笑った。

ヘムリは男たちに早口で指示すると、トラックから五、六台の大きな扇風機を降ろさせた。

映画撮影で砂ぼこりを立てるときに使うような、巨大な送風機だ。

男のうち二人が、気球の口のところにはいり込み、風がはいりやすいように、開口部を大きくひろげた。

モーターにスイッチがはいり、扇風機がその開口部めがけて一斉に回転を始める。風にさらされている男二人は息もできないのか、くるりと風に背を向けて、吹き飛ばされそうになるのをこらえている。

巨大な気球は風を孕《はら》んで、もくり、もくりとふくらみ始めた。

「すごい」

志織が息を呑《の》む。

次第にふくらんでいく気球は、草原に横たわったまま少しずつ丸みを帯びていく。やがてそれは何階建てかのビルほどの大きさにふくれあがった。

「でも、ママ。これじゃ空気でふくらましてるだけでしょ。どうやって浮かせるの？」

「そうね。ママも、気球ってヘリウムとか水素ガスを詰めるんだと思ってた」

逸美はオボテにその疑問を投げた。

「マダム。これは熱気球です。とてもシンプルな原理。今からバーナーで中の空気を熱するのです。空気は熱くなると軽くなります。だから上へ浮きます。おりるときは空気を冷やしてやる。すると下がります」

ヘムリが、バーナーの先を開口部に向けた。

とたんに三、四メートルほどの火柱が開口部めがけて轟音《ごうおん》をたてて噴出した。バーナーと

いうよりは、火炎放射器だ。

何度かそうして火柱を噴射していると、気球がゆっくりと立ち上がり始め、やがてゴンドラの真上に浮いた。

ヘムリが志織たちを手招きした。

「もう乗れるんだ。さ、ママもオボテも早く行こうよ」

志織が叫んだ。

「あのね、志織。オボテは乗らないのよ」

「え？　どうして」

「これに乗るのはとても高いの。一度乗るとオボテはそのために何ヶ月も働かないといけないのよ」

「だって。じゃ、ママが出してあげればいいじゃない」

「そうはいかないのよ。オボテはこれからパパのスタッフとして働くのよ。その給料の何ヶ月分もの気球代をぽんとおごってあげたりしたら、オボテはどう思う？　働くのがばからしくなってしまうでしょ？」

志織はしぶしぶ納得したようだった。

「さ、マダム。シオリも、乗ってください。あと、二、三回バーナーをつければ、気球は空に向かって上がっていきます」

逸美はそのとき、言いようのない感覚に襲われた。

自分とは別の誰かが頭の中で、

「乗ってはいけない」

と絶叫している、そんな感覚だった。

逸美は動揺した。

〝不安と恐怖からきているんだわ〟

そう考えてみた。

たしかに逸美はさっきから奇妙な不安を抱いていた。というのは、気球の巨大さに比べて、その仕組みがあまりに簡単だったからである。

バーナーは巨大ではあるが、いわばライターを何千倍にも大きくしたようなものだ。ふくらんだ気球もそこらのゴム風船と原理的には何の変わりもない。

空気をあたためる。

浮く。あんなに大きなものが。

その下に人間を三人も乗せて……。

簡単すぎて現実感が湧《わ》いてこないのだった。

ただ、逸美の頭の中でうねりもがいている危険信号のような想念は、そうした漠然とした不安感とは比べものにならないほど強烈で異質なものだった。逸美はそれをうまく言葉に翻訳できない自分にいらいらした。

「ねえ、オボテ。さっきから疑問に思ってたんだけど」

「何ですか、マダム」

「この気球って、浮くのはわかるんだけど、自分で方向は決められないんでしょ？」

「そう。浮いたあとは風の流れにまかせて飛んでいきます」

「じゃ、おりるときも、ここへ戻ってくるんじゃないのね」

「そうです」

「とんでもないところへおりちゃったらどうするの」

「それは大丈夫。ヘムリがバーナーを調節して、ちょうどいいところへおります。湖の上へおりたり、山の上におりたり、そんなことはありません」

「でも、おりたあとはどうするのよ。人のいるところまでてくてく歩いていくの？」

オボテは声をあげて笑った。笑いながら、ヘムリに向かって早口のスワヒリ語で何か言った。同時にヘムリも顔をくしゃくしゃにして笑った。

「大丈夫です、マダム。我々がジープとトラックで、ずっと気球の後をフォローしていくんですから。気球は、とてもゆっくりとしか動けません。亀よりもスローモーです。我々がいらいらするくらいにね。気球がおりる先には、我々がもうランチの仕度をして待ってますよ」

逸美はしばらく考え込んだ。

そして言った。

「オボテ。とっても悪いけれど、私たち、これに乗るのは中止にするわ」

オボテは、きょとんとした。

「どうしてですか、マダム」

「うまく言えないのよ。でも、とても悪い予感がするの。心配しないで、キャンセル料は払

いますから」

志織は英語がわからないので、横でいらいらして待っていた。

「ねえ。何を話してるの。早く乗りましょうよ」

逸美は困った表情で言った。

「志織。とっても残念なんだけどね。気球に乗るのはやめることにしたのよ」

「えっ。どうして？」

「いまオボテにいろいろ聞いてたんだけどね。どうもこの気球、あんまり安全じゃないような気がするのよ」

「だって、いままで一度も事故なんてなかったんでしょ？」

「そりゃ、そうだけど」

逸美は、いまのオボテとの会話の内容を志織に話して聞かせた。が、これは逆効果だったようだ。志織は唇をとがらせて抗議した。

「なんだ。少しも危なくなんかないじゃない。ママが、自分がこわくなっただけなんだ」

「万が一ってことがあるでしょう。とにかくママは乗りません」

そう言えば志織は折れてくると思ったのだ。

気の優しい、淋《さび》しがりな子だった。

が、このときの志織は、母親が初めて見たほどの決然とした調子でこう言った。

「じゃ、私はオボテと一緒に乗る」

「え？」

「ママは、ジープで追っかけてくるほうにまわったら？　オボテのかわりに。どうせ二人分のお金は払うんだから、いいでしょ？　オボテがママのかわりに乗っても」

話がもつれ込んでいると、ヘムリが、何ごとかという様子で近づいてきた。事情を聞くと、

「それならオボテと娘さんで乗ってくれ。こちらは誰が乗ろうと〝ハクナ・マタタ〟だ。とにかく早く決めてくれ」と言う。

草原を黄金色に染めて太陽が昇り始めていた。

ヘムリが主張するには、陽が昇り切らないうちに気球を出さないと風の調子が変わってしまう、ということだった。

「ほら。ママが変なこと言うから、ヘムリもオボテも、あの男の人たちも、みいんな迷惑してるじゃない」

志織が勝ち誇ったように言った。

逸美は、痛いところを娘に突かれた気がした。自分一人が臆病風《おくびようかぜ》に吹かれて、つじつまの合わないことを言い、全員に迷惑をかけている。それはたしかにその通りだった。

逸美は自分の内面の声をむりやりにねじ伏せ、長年の習慣通りにものごとを解決した。つまり、理性に従ったのである。

オボテと志織、ヘムリを乗せた気球は、やる気のないクラゲのように、ゆっくりゆっくりと昇っていった。

そののどかな飛行路の下を、逸美を乗せたジープ、気球回収用のトラックがとろとろと追

っていく。道などは関係ない。見はるかす限りの草原を、がたごとと揺れながら追っていくのだ。ところどころで溜め池やトウモロコシ畑に出くわすので、そのときには迂回路《うかいろ》を取るが、それでも気球の進路に後れをとるようなことはなかった。

逸美の目から、気球は上空にクルミの実ほどの大きさに見えて、ゆっくりと北西へ流れていきつつあった。

そのうちに、気球はさらに高度を上げたのか、大豆の粒ほどの大きさになった。

逸美は、ずいぶん高くまで昇るもんだ、と眺めていたのだが、車中の男たちがざわざわし始めた。お互いに早口で言葉を交わしているのだが、明らかにそれまでののんびりとした口調ではない。

「ねえ、どうしたの。何があったの。もっとゆっくりしゃべって、お願い」

ジープを運転していた男が、スワヒリ語の会話を止めて、逸美に向かって英語でしゃべり出した。それでも興奮しているのか、かなりの早口だった。

「気球が高く昇りすぎてるんです、マダム。普通、あんなに高く昇ることはない。だいたい地上から五十メートルくらいのところをキープして風に流されていくんだが……」

「どういうこと？」

「〝悪い風〟にとっつかまったか、ひょっとするとバーナーが故障したか、どっちかだ」

「〝悪い風〟って？」

「上へ昇る気流だよ、マダム。でも、そんなものはバーナーで調節できるんだ。ヘムリはベテランだからな。でも、もしバーナーのストッパーがこわれて、炎が出っ放しになってるん

なら、気球はどんどん上へ上がっていく。そんなことはありえないんだが。バーナーにもボンベにもバルブがついてるからね。炎が止まらないなんてことは……」

逸美は、心臓が止まりそうになった。

空を見上げる。一瞬、気球のありかがわからなかった。気球はいまや麻の実ほどの大きさになって青空の奥に浮かんでいた。

「でも、いつかはおりてくるでしょう？　追っかけてよ」

「もちろん、そうする。でも、見てごらん」

男の示す指先はるかかなたで、気球はゆったりと北西へ進んでいた。

「さっきとあまり動く速度が変わらないだろう」

「ええ」

逸美は答えてからギョッとなった。

地上から見て、さっきよりはるかに高いところにあるはずの気球が、同じペースで天空上を移動している。

ということは、気球は高いところをいままでよりはるかに速いスピードで流されているのではないだろうか。

「上のほうへ行くと、風の流れが変わるからね」

男は不安気に言った。逸美は怒鳴った。

「とにかく追いかけて」

「それよりも、ここで二手に分かれよう。おれたちはバルーンを追っかけていく。トラック

はマラキシまで帰ってもらおう。そこから軍に連絡してヘリを出してもらうんだ」

ヘリが出るまでにどれだけの時間がかかるのだろう。それを考えると逸美は絶望的になった。ここからマラキシまで一時間。マラキシに無線はあるだろうか。なければキスムまで二時間。軍のヘリコプターが来てくれるまでにいったい何時間かかるのか。その間に気球はどこまで流されていくのだろう。

トラックを町へ帰し、ジープはひたすら気球を追った。

そして、ついに絶望的な事態が訪れた。

ジープは、河に突き当たってしまったのだ。

「マラバ河だ」

運転手はくやしそうにうめいた。

気球は、河を越えたはるか上空にぽつりと浮いている。

「橋は……、橋はないの？」

逸美は運転席の背もたれにしがみついて叫んだ。

「あるさ。河沿いに走って、キスムとカンパラロードを結んでいる国道まで行けばね」

「そこまで、どれくらいかかるの」

「ほんとにそれを聞きたいのかね」

運転手は首を振ってつぶやいた。

「二時間はかかるよ」

逸美は、ぎりっと唇を嚙《か》んでうめき声を殺した。

気球は三日後の昼過ぎ、キタレという町を西に行ったエルゴン山の山すそで発見された。発見が遅れたのは、気球が、エルゴン山をまたいでいる国境を越えて、ウガンダの側に墜落したからだった。政治的な交渉がからんですぐに捜索隊が出せなかったのである。

気球はやはりバーナーの故障で上昇し続けた後、上昇気流に流されたようだった。その後、バーナーのガスが切れた。

通常であれば、熱気球はバーナーで気球内の空気をあたためたり冷やしたりして、段階を踏んでふんわりと下降していく。それが、ガスの切れた気球はエルゴン山近くの冷気によって急速にしぼみつつ、かなりのスピードで落下したようだった。

落下地点でゴンドラはまっぷたつに割れていた。その前数十メートルほどの所で一度大きくバウンドした様子がある。おそらく乗っていた人間は、その最初のバウンドで大きく跳《は》ね飛ばされたのではないか、というのが捜索隊の見解だった。

ヘムリは、気球から四十メートルほど離れたところで死んでいた。顔面と内臓は動物に食い荒されて破損していた。

オボテの場合、残っていたのは左腕だけだった。薬指の指環《ゆびわ》と指紋から本人と同定された。

志織にいたっては死骸すら残っていなかった。

気球のあとから、百メートルほどにわたって、人間の体を引きずったような草の跡がついていた。その跡には、おびただしい量の血痕と、獣の足跡多数が確認された。

「ハイエナでしょう」

搜索隊の責任者は沈痛な面持ちでつぶやいた。

「おそらく、ヘムリ氏は墜落後も一、二日は生きていたにちがいない。オボテ氏もシオリさんも即死に近い状態だったようです。ハイエナってのは、死んだものとか死にかけの小動物、あるいは生まれたての仔《こ》しか狙いませんからね。たぶん、一番最初に、軽いシオリさんを引きずって、自分たちのグループのところまで運んでいったんでしょう。オボテ氏はシンバにやられたのかもしれない。シンバは、ハイエナを追っ払って横取りしたりしますからね。ハイエナはその後、ヘムリ氏が弱っていくのをじっと待ってたんでしょう。いずれにしても、連中が人間を食うというのは、ここ半世紀、ほとんどないことです。小さな子供の死体があった、というのが要因でしょう。ちょうど七つくらいの子供の体ってのは、若いインパラくらいの重さですからな」

心玉《しんたま》尊師は、十畳ほどの自室のまん中で、飯を食いつつビデオを見ていた。

尊師の前には七輪《しちりん》が置かれている。七輪のくぼみの中で、炭がまっ赤におこっていた。

尊師はその七輪の上に金網を渡し、かたわらの大皿からぶつ切りの肉を取っては網の上で焼いている。

「もうちいと、火ぃ落としてくれるか」

言われて七輪の空気穴を調節しているのは間辺めぐみである。逸美をこの「聖気の会」に誘った主婦だ。

会にはいった信者は、ひと通りの研修を終えると、「気の子」と呼ばれる位階に「昇進」

する。

「気の子」は、当番制で尊師の身の回りの世話をするのだが、これは別に「奉仕」ではない。生き神さまから直接に一対一の言葉をかけていただける、特権的な栄誉だとされている。

実際、めぐみは生き生きとした表情で嬉《うれ》しそうに尊師の食事の世話をしていた。

大皿の上には五百グラム近い和牛の霜降り肉が盛られている。そのわきに、彩り程度に緑や赤の野菜が添えられていた。

めぐみは七輪の上に肉片をのせながら尊師に尋ねた。

「お野菜はどういたしましょう」

「どういたしましょう、とは何や」

言われてめぐみはうろたえた。

「お召し上がりでしたら焼きますが」

「野菜は、どうも好かん」

心玉尊師は網の上から肉片を取ると、小皿のタレに漬けて口に放り込んだ。

「野菜は体が冷える」

「はあ、そうでございますか」

「人にもよるけどな。大陰、大陽をもって生まれた人間は、食べるもんにも気をつけんといかんのや。食うもんにもすべて陰と陽があるさかいな。私みたいな大陰の人間は、陽のものを食わんといけませんのや。野菜を食うなどとんでもない。ま、野菜の中でもこういうものは別やが」

尊師は大皿に手をのばして青菜の葉の陰にかくれていたものをつかみ出した。てのひらの上には数片のニンニクがあった。

尊師はそれを生のままうまそうにかじった。

「これはええもんなんや」

強烈な匂《にお》いがめぐみの鼻を襲った。

「あんたらはマネしたらあかんで。人間、それぞれに持って生まれた陰陽が違う。たとえば田辺さん、あんたの場合」

「間辺です」

「あ、すまんすまん。間辺さん、あんたの場合、光が六に影が四。陽が六に陰が四や。それやのに、あんた肉食が多いやろ」

めぐみはどきっとした。

「はい。お肉、好きですけど」

「それやなあ。ただでさい陽が勝っとるのに、肉なんか食うとったらますますバランスが崩れる。あんた、ここ四、五年、体調悪いんと違うか」

「はい。どうしておわかりになるんですか」

「そんなものは、あんたの顔色見たらすぐにわかる。白目の色が土色になっとって、そこにけったいな血の筋が走っとる。それはな、腫《は》れものの気《け》や」

「腫れもの……ですか」

「腫れものでも、若いもんがニキビだらけなんは、これは陽の気が強すぎるからで、年をと

って体が鎮《しず》まればなおります。ややこしいのは、あんたくらいの年の……いま、いくつや」

「三十七です」

「そう。ちょうどあんたくらいの人の腫れものの気はちょっといかんぞ」

「え……。て、言いますと」

「最悪の場合は、〝ガン〟やと。こういうことになる」

「ガンですか」

「うん。あんたくらいの年でガンになると、ちょっと厄介《やっかい》やからな」

心玉尊師は、七輪の上からまた肉片を取ると、口に放り込んで、とろけそうな笑みを浮かべた。

「うん。うまい。生焼けのほうがうまいな」

めぐみのほうはそれどころではない。

身を乗り出して尋ねた。

「尊師さま。私、ガンで死ぬんですか」

尊師はまたニンニクをガリッとかじると、グラスを突き出した。

「酒」

めぐみはあわてて、かたわらのアイスバケットに突き立ててあったボトルを抜いて酌《しゃく》をする。〝シャブリ〟の白である。

それをまるでビールのようにごくごくと飲みながら尊師は言った。

「あんたがガンで死ぬかどうかなんてことは、私、別に予言者やないからわからんがな。け

ど、こういうことは言えるやろう。たとえば医者がやな、毎日酒一升飲んでる人を見て、〃あんた、十年後に肝硬変で死にますよ〃とか、毎日放射能あびてる人見て、〃そんなことしてたら早死にしますよ〃とかやな。私の言うてることはそれにごく近いもんで」

尊師は、ワインをうまそうに飲んだ。

めぐみは、そのグラスに酒を注ぎ足して、

「じゃ、私は、どうしたらいいんですか。いまからでも、ガンを遠ざけたりとか、できるんですか？」

「体を中庸に保つこっちゃな」

尊師は答えた。

「チュウヨウ？　中庸って何ですか？」

「医学では、ようそういうことを言うやろう、ＰＨ《ペーハー》がどうとか。肉食うたら体が酸性になって、菜食したらアルカリになるとか」

「ええ。じゃ、やっぱり私、菜食に切り換えたほうが……」

「あほう！」

低い声だった。

しかし、めぐみはそれで金縛りにあったように全身が硬直してしまった。

「陰や陽やというのは、そんな簡単な話やないの。電気に＋《プラス》と－《マイナス》がある。磁石にＮとＳがある。酸とアルカリがある。正と邪がある。ね？　人間の陰と陽というのは、これらの森羅《しんら》万象《ばんしょう》すべてが混ざり合って、結果として出てくるものであって、食べものだけ変えて体をア

ルカリ性にしたってどうなるものでもない。かえって全体のバランスを崩すことになる」

「でも、尊師さまはさっき、私の体って陽が勝ってるから肉は取るなって」

「人間っちゅうのは体だけでできてるもんやない。心も魂も、それぞれに陰陽があるやろうが。そういうものを一切合財合わせて、田辺さん」

「間辺です」

「間辺さん。あんたの存在全体、陽六分の陰四分になっとるんや。これがガンを招くわけや」

めぐみは不安で頭がおかしくなりそうになっていた。

七輪からは、肉の脂が炭にしたたって、じゅうじゅうと焦げる音がしていた。

尊師の見ているビデオからは、派手な戦闘シーンの爆音が炸裂《さくれつ》していた。

尊師がいま見ているのは、「フルメタル・ジャケット」という映画だった。

「じゃ、私は、どうしたらいいんですか」

「陰陽のバランスをとることやな。食べもん、生活、ものの考え方。何から何までひっくるめて、中庸をとることや。ま、それがわかるまでに十年、二十年はかかるやろうが」

「それまでにガンにかかっちゃったらどうなるんですか」

「え?」

尊師はうるさそうにめぐみを見、シャブリを飲んだ。頰《ほお》に血の気がさし、目が濡れ濡れと光っていた。

「ま、そうならんうちに陰陽を整合する法はあるけれども、それは、まあ、言わぬが花やろ

う」

「そんなことおっしゃらずに、尊師さま」

めぐみはシャブリのボトルを持って、尊師ににじり寄った。

「あたし、ガンで死ぬのいやなんです」

「誰かていややがな。けど、たとえばあんたは陽が勝ってる、これを整合する法はあるんやけれども、あんた、人妻やろ。ものの考え方をコロッと変えてくれんことにはこの法は成らん」

「どういうことですか」

「陽も陰も、大根本は男と女や。男と女のことというのは陽と陰の中和作用みたいなもんで、たいていの夫婦はこれでうまくいくのやが、そうでないもんも珍しいことない。たとえばあんたに陽の気がまだ強いのは、ダンナの陰の気が弱いからや。ま、男っちゅうのはたいていそうなんやけど」

「じゃ、どうしたらいいんですか」

「私のあり余る大陰の気を、ちぃとおすそわけするしかないな」

「どうやってですか？」

「それは君、田辺さん」

「間辺です」

尊師はめぐみの手を取ると、いきなり畳の上に抱き伏せ、唇を重ねた。

尊師の唇からはニンニクの匂いがした。

めぐみはその唇で首すじを撫《な》でられながら思った。

「したかったらしたいって、そう言えばいいのに。長い講釈だったわねえ」

素っ裸にむかれためぐみの体を心玉尊師はていねいになめて浄《きよ》めていたが、やがて我慢しきれなくなったのだろう。めぐみの豊かな太腿《ふともも》をふたつに割ると、「陰の気」を注入するためにおおいかぶさってきた。

聖水の壜《びん》は、かなり小ぶりであった。

心玉尊師の〝ご神体〟は、寸が詰まっているうえに、いささか戦意に欠けているようにも見えた。

間辺めぐみが失望以上のものを覚えたのは言うまでもない。亭主以外の男との久しぶりの房事に、めぐみは胸が破れそうなほどの興奮を感じていたのだ。その春めいた気持ちがご神体を目にしたとたんに、灰をかぶったようにくすんだ。尊師に対するそれまでの宗教的熱狂さえぐらつき始めたのを感じて、めぐみはあわてた。

そんなことはおかまいなしに、尊師はめぐみの脚の間に割ってはいる。

「ご主人にはすまんこっちゃが、はいらせてもらうで」

尊師はのんびりした口調で言った。

ご神体は、巣穴に帰る小ネズミのように、つるりと難なく納まってしまった。

呆気《あっけ》なさそうなめぐみの表情を見て、尊師は含み笑いをした。

「物足りんのやろ、田辺さん」

「間辺です」

「あんたが不満に思う気持ちは手に取るようにわかる。けどな、私らのような修行を積んだ者は、体が普通の体やなくなってくるんや。私のこれもな、提灯魔羅《ちょうちんまら》というて、あんたの出す陽の気を吸うて、中で際限なしにふくらむ。そういう体になっとる。せいぜい陽の気を放ってくれることっちゃ。そのためには妙な自制を捨てることや」

言いながら尊師は自分の口中に何か小さな塊を放り込んだ。何度か噛《か》んだあと、

「これを飲み込むんや」

口うつしにそれをめぐみの口中に与えた。

ジャム状に溶けかかったその物質は、苦くて、なにやら青臭いようなアクがあった。

めぐみは顔をしかめる。

「迷うことはない。はよう飲み込みなさい。体に障《さわ》るようなものやない。蓮《はす》のうてなまで魂を運んでくれる仙界の妙薬や。毒でない証拠に、私も、ほれ」

尊師は、どこから出したか、もうひとつの塊を自分の口に放り込み、おおざっぱに噛み砕いてから飲みくだした。

めぐみもしぶしぶそれに従う。

「さて、これからが面白い」

尊師はそう言うと、腕をめぐみの首にまわして、ぴったりと体の上におおいかぶさった。

その体勢のまま尊師はじっと動かない。

めぐみはとまどいを覚えた。

彼女がそれまで知っていた男たちは、ここでせわしなく律動を始めるものだ。おおいかぶ

さったまま微動だにしない相手というのは初めてだった。

「神経を、気をあそこに集中するんや」

尊師が言った。

目をつむって言われた通りにする。

とたんに、めぐみの体の中で何かがむくりと動いた。

「あ」

思わず驚きの声がもれる。

「始まったようやな」

それはめぐみの中で、壁に頭を打ちつけるような動きを始めた。気のせいか、その動きのたびにそれは少しずつ大きくなり、力をみなぎらせていくように感じられた。

体の中心部で始まったその変化と同時に、めぐみの全身にも別の異変が起こっていた。ぬるめの湯にたっぷりとひたっているように、体があたたかくほぐれ始めていた。同時に、頭頂部の皮膚にシンと痺《しび》れたような感覚があり、頭の中には甘いもやがかかりつつあった。一息ごとにはいってくる空気に、とろりとした芳醇《ほうじゅん》な味わいが加わった。

「何を飲まされたんだろう」

甘い睡《ねむ》りにはいる直前のような多幸感。そのくせ、体の表面の感覚は異常に鋭くなっているようだ。密着した心玉尊師の肌の、細毛の一本一本までが感知できる気がする。心玉尊師が呼吸をする、そんなかすかな動きからも、ざわざわとしたむず痒《がゆ》い感覚が肌全体に巻き起こった。

「何を飲まされたんだろう」

めぐみが人間の言葉を使って考えたのは、そこまでだった。

めぐみの中心部では、ご神体が異常な大きさに膨れあがっていた。感覚が鋭敏になり過ぎたための錯覚かもしれない。しかしめぐみにはそれが内部をいっぱいに押しひろげて、なおも圧迫を強めつつあるように感じられた。しかもそれは、数本の太いツタがよじれあって大人の腕ほどの物体を構成しているかのようで、そのよじれがあちこちに結節を作ってうごめいていた。

「そしたら始めよか」

尊師がゆっくりと抽送を開始した。

体全体が裏返される気がした。

しぼるようなかすれ声がめぐみの口からもれ始めた。

逸美は自分の心が、重い錨《いかり》をはずされたごとくに軽くなっているのに気づいた。研修合宿第一日目の夜である。

五日間の日程の初日で、逸美はいきなり自分の精神外傷《トラウマ》を信者たちの前で話すはめになってしまった。

話し始めの二、三分はためらいもあったが、すぐに逸美は自分の追憶の中を走り出していた。七歳の志織を亡くした記憶を追体験する道程は苦痛に満ちていたが、不思議に怖れは感じなかった。逸美はむしろ、淡々と語りぬいていく自分のその口ぶりに、自分で驚いたほど

だった。

娘の死の場面になると、円座を組んでいたおばさんたちの全員が涙を流し始めた。目にガーゼを押し当てながら声を立てて泣く女性もいた。

逸美は彼女たちの様子を、ある種の驚きをもって眺めていた。逸美自身には涙の湧いてくる気配はなかった。

静かに語り終わると、〝素頓狂《すっとんきょう》の〟北口おばさんが、涙で顔をぐしゃぐしゃにして、しゃくり上げながら言った。

「あんたはえらいよ。そんな話を、つらかったろうに、よくしてくれたよ。涙ひとつ流さずに。勇気があるよ」

逸美は微笑《ほほえ》んだ。

「とっくの昔に、涙は流せるだけ流してしまいましたから」

別のおばさんがうなずいて言った。

「そうだよねえ。あんまり悲しいと、人間ってなんだかボーッとしちゃって、泣く余裕なんかなくなっちゃうものねえ」

それから告白の時間はまた延々と続いた。夕食をはさんで、終わったのは夜中の一時過ぎだった。

ただ、逸美の話す前と後では、場の空気が明らかに違っていた。それまでは全員がどこかかたくなで攻撃的だったのだが、いまは慈愛とシンパシィがベースになっていた。その上で、かなり突っ込んだ打ち明け話が展開されたのである。

「明朝の起床は六時です。皆さん、そろそろやすみましょう」

福田導心の一言で、全員が床に就いた。

広い集会所の板の間に、整然とふとんを敷いて横になる。

だが、逸美はなかなか寝つけなかった。

心の中に名づけようのない未知の感覚があって、それが眠りをさまたげているのだった。

逸美は目を閉じて、いつも眠る前に思い浮かべるイメージを心に描いてみた。

それは川底の光景だった。

澄んだ冷たい水が静かに流れている。

川底には黒く大きな岩塊があって、その陰で小魚がたわむれていた。

流れる水はすべて逸美の涙だった。

沈んでいる黒い岩は逸美の悲しみだった。

どんなに涙で洗っても、その大岩はびくりとも動かない。

その岩の下には志織の亡骸《なきがら》が眠っているはずだった。

逸美にはこの川底の光景はなじみの深いものだった。入眠時のイメージであると同時に、それは彼女の的確な心象風景でもあった。

最初、逸美には夜ごとあらわれるこのイメージの孕んでいる意味が皆目わからなかった。

逸美の描いた絵を見て、瞬時に謎解《なぞと》きをしてくれたのはサイコセラピストの秋山ルイである。

黒い岩はあなたの悲しみだ、とルイは言った。

「あなたはね、安定しているのよ」

「安定している？　私が？」

「そう。どっしりと沈んでいるこの悲しみのおかげでね。誰も動かせない。誰も変えられない。誰も砕けない。あなたの精神生活は、悲しみがベースになっている。視線はいつでも過去の一点に注がれている。これってとても安定した状態なのよ。幸せになる必要もないし、なる意志もない。そうでしょ？」

ルイは髪をかき上げながら、まっすぐに逸美を見た。逸美は目をそらせた。

「そうかもしれない」

「でもね、それっていうのは最悪の安定なのよ。人間としてね」

「そうかしら」

「人間というのは、存在そのものからして、幸福とか快楽を追うようにできているのよ。サメが、ずっと泳いでいないと死んでしまうように、ネズミがいつでも食べてないと死んでしまうように、人間も幸せを追っかけるように作られてるわ」

「めったに手にはいらなくてもね」

「結果は問題じゃないのよ。幻のニンジンを追いかけて走る、その〝力のベクトルの在りよう〟が人間そのものなのよ」

「あなたのニンジンにはヒゲがはえてるのね」

逸美の皮肉に、ルイはからからと笑った。

「そう。幻の男を追っかけて、とっかえひっかえしてるのよ。それに比べると、あなたが悲しみを重しにして安定してるってのは、人間の本質に反した、とても不自然な安定の仕方な

のよ」

「あたしはでも、安定なんかしていないわ。よくヒステリーを起こすし。このカウンセリングを受けてるのもそのせいじゃないの」

「〝希望〟があなたにヒステリーを起こさせるのよ」

「希望が？」

「そう。あなたの中にある本質的なもの。ポジティブな力とか生を求める力は別に消滅してしまったわけじゃない。黒い岩の陰で眠っているだけよ。それが、つまり希望が目を醒《さ》ましかけるたびにあなたの中の均衡は崩れるの。とても不安定な状態になる。〝放っておいてよ。不幸でいたいのよ〟って、あなたの自我は叫んでいる。それがあなたのヒステリーよ」

逸美は寝つけないままに、ルイとのそんなやりとりを思い出していた。

ルイの絵解きはあまりに明快で整然としすぎている。論理の網の目が何か大事なものを取りこぼしているような気もする。しかし、大筋においてはずばりと逸美の心理構造を言い当てていると思えた。

「希望が私を不安定にする」

逸美はこの言葉を反復してみた。

希望というにはほど遠いのだが、たしかに今夜心の奥をさらけ出したことで、逸美の中の何かが軽くなっていた。

「ほんの少し、岩が削られたのかもしれない。だから落ち着かないんだわ」

結局、明け方近くまで逸美の目はさえていた。

研修が二日、三日と進んでいくにつれて、逸美はこの「聖気の会」の面白さにのめり込んでいった。

他の宗教のように膨大な理論体系はない。

宇宙の気を心体に通して、大宇宙の一部となれ。そのためには歪《ひず》みを正し垢《あか》を落として、本来の人間の姿に戻れ。

教理というのはつまるところそれだけである。

したがって、二日目も三日目も、いわゆる講義や説教のようなものはほとんどなかった。内面主として行なわれるのは心理的なトレーニングやゲームのようなものばかりだった。内面に目を向け、こびりついた偏見や我執を取りのぞくためのトレーニングだ、と福田導心は言う。

逸美の勘では、聖気の会のこうした理論やノウハウを考え出しているのは、どうも福田導心のようだった。教祖の心玉尊師にはこういう実際面での細かい才覚はないようで、奇跡を起こす、会の象徴的存在であるらしい。

福田導心の指導のもとに、逸美は実にさまざまなマインド・トレーニングを経験した。

ある実習では、一人が円座の中に立たされる。しゃべることは許されない。囲んでいるまわりの人間は、立っている人物の外見から受ける印象を何でもいいから述べねばならない。たいていは自然と悪口になる。

「目つきがきつい」

「人の陰口を言うのが好きそう」

「ケチ」

「自分のことしか考えていない」

「欲求不満」

「弱い者いじめをする」

「いいカッコをしたがる」

「すましているけど、男が好き」

言われている人間は、全身がワナワナふるえてくるが、反論は禁じられている。

これを何度も何度も順番がまわってくるまでやらされるのである。おしまいには、言う方も言われる方も、倒れ込みたいほどに疲れて、もうどうでもよくなってくる。怒る元気さえなくなった頃に、ある種の「さわやかさ」を感じるようになる。粉々に打ち砕かれたプライドや見栄の中から、ほんとうの自分の姿がたち現われてくる。自分の今までの偽装とそれに対するこだわりはいったい何だったのか。同時に全員が気づくのだが、投げつけられたけなし言葉、そのことごとくすべてが実際当を得ていたのである。それを認める認めないの主観の問題以前に、それらの印象を与える偽装した自分というものが厳然と、客観的に存在していたことに皆が気づく。

こういうトレーニングもあった。

二人が一組になって対座して座る。

お互いの膝《ひざ》が相手の膝にふれるくらいの距離で、相手の目をじっと見たままで話し合う。一方が聞き手、一方が答え手になる。

質問は、「あなたが今一番欲しいものは何ですか」という単純なものだ。

「お金」

と答える。聞き手のほうは、

「それは違うでしょう。もっと欲しいものがあるはずだわ」

と問い詰めていく。冷蔵庫、家、車、宝石……答え手は思いつくままに次から次へと答えを探さねばならない。たたみかけられていくうちに、ほんとうに思いつくものがなくなってくる。それでも答えなければならない。答えは、健康、幸福、愛情といった抽象的な領域へと、必ず移っていく。

これも我欲をどんどん解体し、無化していく作業である。うまく突きつめていくと、答え手は最後に「欲望の気配」のようなものをかすかに感じるだけになり、それすらもあやうくなってついには消える。残るのは自分の「生」という不可解なしろものだけである。

メディテイションも何種類かやらされた。

その中のひとつで、福田導心は壇上に立って言った。

「皆さんは、少しずつ現実の自分の姿を、目をそらさずに見ることができるように変わってきています。そこに見えるのは、とてもいやな自分。醜くねじ曲がってしまった自分。ほんとうはこうなるはずではなかったのに、いつの間にか悪いほうへ変わってしまった自分です。なぜこうなってしまったのでしょうか。いつからこうなってしまったのでしょうか。昔へさ

かのぼって見てみることにしましょう。さあ、目を閉じて、リラックスしてください」

福田導心の誘導によって、全員が、過去の自分の姿を脳裡《のうり》に見始める。

それは、二十代、十代、小学生時代とさかのぼっていく。そこにある自分の姿は、常にそのときの両親の姿と対応して思い出されていく。

「さあ、小学校の入学式までさかのぼりました。お父さん、お母さんの姿が見えますか。まだ若いお父さんお母さんが、嬉しそうに笑っていますね。あなたも少し恥ずかしそうだけれど嬉しそうです。大きなランドセルをしょって」

あちらこちらですすり泣きが出始めた。

誘導はさらに過去へとさかのぼっていく。

幼稚園のこと。初めて親から叱《しか》られた思い出。なぜ叱られたのか。親はなぜ叱ったのか。そのときの母親の泣いている顔。

「さあ、もっと前へ行きましょう。いま、あなたはお母さんのお腹《なか》の中から、まさに外へ出たところです。そのあなたを抱き上げるお父さんお母さんの姿を思い浮かべてください。お母さんはあんなに若くて、輝くようです。あなたが無事に生まれた幸福で輝いているのです。あなたに夢をいっぱいたくして、優しい、人から愛される幸せな人間に育ってほしいと祈っています」

まわりのすすり泣きの中に号泣が交じり出した。

逸美の頬にも、一滴も残っていなかったはずの涙があとからあとから尾を引いて伝い落ちた。

「若いお母さんは、にこにこしてあなたを見つめています。さあ、いまならお母さんに話しかけられます。何か言いたいことがあるでしょう。一言でいいからお母さんに声をかけなさい」

逸美の隣に立っていた北口おばさんが、くずおれるようにして絶叫した。

「おかあちゃん、ごめんよお〜！」

それをきっかけに、一場は号泣の渦となった。

誰もが幼児のようにしゃくりあげ、涙で顔をぐしゃぐしゃにして母親を呼んでいた。床に頭を打ちつけて詫《わ》びる者もいた。逸美も例外ではなかった。

「お母さん。お母さん」

目の奥で水道管が破裂したかのようだった。

その愁嘆場がなんとかおさまるまでには二十分かかった。

全員が洗面所へ行って顔を洗い、恥ずかしそうに照れ笑いを浮かべて会場へ戻ってきた。

逸美は、自分があれほど激しい感情の嵐に襲われたことに心底驚いていた。自分のことで泣くなんて。しかも母親に向かって、幼児そのままの心で許しを乞うて泣くとは。

そして特筆すべきことは、その直後に全員の心に起こったカタルシスの強烈さだった。

さっぱりとした信者たちの顔を見渡して、福田導心は笑った。

「皆さん、いま、とても気持ちがいいでしょう。便秘がなおったあとみたいにね」

笑い声が起こった。

「体に便秘があるように、魂にも便秘があるのです。〝気詰まり〟ということでしょう。人

間の生まれて初めての気詰まりは、親との確執から始まります。それは何十年と積もり積もって、皆さんの性格をねじ曲げ、汚物となって魂の通路をふさいでおるのです。いま、皆さんは過去の愛憎を捨て、無辜《むこ》の童心に帰ってひたすら詫びることで積年の汚物を一掃したわけであります。それは魂の広大な建物の中にあってはほんのひとつの通路にしかすぎません。しかしそれでも、この開かれた通路に聖気が通ればこれだけの喜びがある。すべての通路が開かれて、すずやかなる宇宙と合一するときの喜びを、この体験から少しでも推し測ってみてください。心玉尊師のみ教えにしたがっておれば、その尊い瞬間へもそう遠い道のりではありません。よろしいですね」

おばさんたちが、そして逸美が、一斉にうなずいた。

逸美にとって決定的だったのは、研修四日目の夜のできごとだった。

この四日間、逸美は間辺めぐみとほとんど話をする機会を持たなかった。十人ごとに分けられた信者のチームがめぐみと別だったせいもある。それよりもめぐみは〝気の子〟当番に充てられていたために、夜のわずかな自由時間も忙殺されるほどだったのだ。

めぐみは連日嬉々《きき》として、奥の間にいるという心玉尊師の身辺の世話を焼いていた。

心玉尊師は、この研修中、まだ一度も信者の前に姿を見せていない。五日目の夕方に御姿が拝めるということで信者たちはそれを楽しみにしていた。

そうした立場から見ると〝気の子〟をおおせつかった間辺めぐみは、ねたみの対象だ。

ただ、周囲がうらやむほど〝気の子〟に得があるとは逸美には思えなかった。

間辺めぐみは、この四日間、ほとんど睡眠をとっていないのではないか。頰がこけて、目の下にクマがくっきり出てきていた。たまにすれ違うときに声をかけても、なにやら視線さだまらず、夢遊病者のようで要領を得ない。

四日目の夕方、めぐみはとうとう軽い貧血を起こして倒れた。

玄関わきの六畳ほどの部屋にふとんを敷いて、逸美がつき添った。

めぐみは三十分ほどはおとなしく横になっていたが、やがて起き上がり、〝気の子〟当番に戻ると言い張って逸美を困らせた。

「だめよ、あなた、過労なんだから。せめて今日一日くらいは横になっていないと」

「大丈夫よ。ちょっとふらっとしただけなんだから。おおげさに言わないでよ」

「大丈夫じゃないわよ。あなた、鏡見てごらんなさいよ。目の下がまっ黒でパンダみたいよ」

「あたしは笹の葉食べたりしないわよ。さ。起きて尊師のお食事の仕度しなくっちゃ」

「だめよ。寝てなさい」

めぐみは、きっと逸美をにらんだ。

「じゃ、〝気の子〟は誰がするのよ」

逸美はめぐみの目を見返した。こちらをにらんでいるのだが、その目はどこか微妙に焦点がずれたような感じがする。めぐみはまるで〝ラリって〟いるように見えた。

「あなた、おおげさに言いたてて、あたしのかわりに〝気の子〟をやろうってんじゃない

の？」

「何を言ってるの、ばかね」

「あなたも陰《いん》の気を授かりたいんじゃないの？　おとなしい顔してるけど」

「何のことを言ってるの。ちょっと、あなた、ほんとに大丈夫？」

めぐみの異様な視線に耐え切れなくなって座を外そうとしたところへ、福田導心がやってきた。

「どうですか、間辺さん」

逸美は事情を説明した。

福田導心は苦笑いしてめぐみの方へ膝を乗り出した。

「間辺さん。気持ちはわかるけどね。そんな体調で万一のことがあったらたいへんだ。また心玉尊師も、君が倒れたってことはお耳にはいってますから、今日あなたが無理をしたりするとかえって尊師のご心痛のもとになる。〞気の子〟になるのは名誉なことだから逃したくないのはよくわかるが、まあ、今日は一日、様子を見ておきなさい。今回のことは、次の機会に十分考慮しておくから」

福田導心にそう説得されると、めぐみはむくれて返事もせずにぷいと寝返りをうった。導心に大きなお尻《しり》を向けてしまったのだ。

逸美にはよくわからなかった。どうしてこれほど〞気の子〟の役割にこだわるのだろう。教祖の存在には興味があるが、別に争ってまで身の回りの世話をしたいとは思わない。

ただ、福田導心のほうは、なりゆき上、逸美を〞気の子〟の代役に立てるつもりらしかっ

た。

めぐみの悋気《りんき》を怖れてか、宗務室に逸美を連れ出すと、福田導心は〝気の子〞の要領を説明し始めた。

「ほんとはね、この当番は、入信して一定期間を踏んだ人でないとおまかせできない役割なんです。名誉なことだから順番待ちの状態でね。だからって、間辺さんの次の番の人を代役に立てると、その人は今日と明日の二日しか〝気の子〞ができない。それでまたひと悶着起こるに決まってる。だから、とりあえず今日はあなたにお願いしたい。他の人には私からきちんと説明しておきますから」

逸美は半ば呆《あき》れ顔で言った。

「もちろん、光栄なことで、やらせていただきますけれど。……でも、どうして皆さん、それほど〝気の子〞をやりたがるんでしょうか」

福田は一瞬困惑の表情を浮かべ、それから天井を見上げて言った。

「……人徳でしょうな。尊師の、霊的吸引力でしょうな」

「はあ……」

福田導心は、かたわらのデスクからコピー紙を一枚出して、ざっと間取り図を描き始めた。平屋を半分に割って、右半分が集会場、左半分が尊師の住居になっているようだ。

「一般の信者さんは、この集会場から向こうへは絶対に立ち入り禁止になってます。尊師が起居なすってる、いわば聖なる空間ですからね。ここにはいれるのは、私ら導心クラスの者と〝気の子〞だけ。〝気の子〞がするのは要するに食事のお世話と掃除洗濯……くらいのも

んです。食事はね、尊師は一日二食。二食とも同じものです。昼の三時と夜中の十二時。牛肉を各五百グラム、七輪の網で焼きながら召し上がる。ご酒《しゅ》を相当にいただかれますので、その、何というか」

「お酌ですね？」

「そうです。脱俗の聖人ですから、それゆえに格式ばらない軽口もけっこう叩《たた》かれますが、ほどほどにお相手しておればよろしいでしょう」

「はい」

「ま、そんなところですので、よろしくたのみます」

逸美が宗務室を出ようとすると、福田導心が、思い出したように声をかけた。

「あ。それともうひとつね」

「はい」

「明け方、三時半くらいにね、氷水をデキャンタに一杯、お持ちしてもらえんでしょうか」

「氷水をですか？」

「ええ。何にしても、けっこうご酒を召し上がるんで、夜中にひどく喉《のど》が渇くとおっしゃって。それがきまって三時半くらいなんですよ。申し訳ないが」

「わかりました」

宗務室を出ながら逸美は苦笑した。めぐみが過労になるのも無理はない。それでなくてもこの研修会のスケジュールはきついのだ。

とにかく睡眠時間が少い。一時消灯で六時起きである。これは教団側の作戦のようだ。も

うろうとした意識状態は、暗示にかかりやすく、マインド・トレーニングのようなものには都合がいい。空白になった意識は、すべての情報をノー・チェックで受け入れる。

そうしてただえさ睡眠時間が少いのに、深夜十二時からの食事の世話をしたうえ、明け方三時半に氷水を持っていく。つまりは、〝眠るな〟ということである。

炭をおこすのに逸美はけっこう苦労した。彼女の年代では、子供の頃に炭や七輪は身の回りにあったけれど、すぐに都市ガスの時代になった。

大生部の研究室でフィールドワークの手伝いをしていた頃にも、もっぱら相手は固形燃料や簡易薪ストーブだった。

七輪の中の堅炭を相手に四苦八苦していると、北口おばさんが寄ってきて難なく炭火をおこしてくれた。

「へえ。なつかしいわねえ、七輪。尊師さまって、やっぱり質素なんだねえ。これで、目刺しでも焼きなさるのかねえ」

目を細めて感心している北口おばさんに、逸美はあいまいに笑って答えた。

このおばさんに、備長《びんちょう》の堅炭がガスなんかより今ではけるかに高くつくことを説明するのは勘弁してほしかった。

おまけにその七輪の上で焼く肉が五百グラム。サシのよくはいった極上肉で、包丁を入れてもどこにも筋が当たらず、かわりにもっちりとした肉感が刃に伝わってきた。

「百グラム、いくらくらいする肉なんだろう」

逸美はついつい主婦のならいで、そう考えてしまったが、次の瞬間、そうした自分の感覚に羞恥《しゅうち》を覚えた。

心玉尊師ほどの人になれば、殺生戒を犯してこそ肉食をするような仏僧とはおよそ無縁のところに衣食住の律があるのだろう。体の欲するところに従ってらっしゃるにちがいない。ある日を境にレンコンしか受けつけなくなったり。きっとそうなんだわ、アンテナの発達した人って。

逸美は、アル中の夫、大生部のことを考えた。大生部は、一日中酒気の切れるときがないが、たまに猛然と物を食い出す時期がある。牛のモツのような一品があったときに、〃もっとないか〃と言ってのっそりと立ち上がり、台所にあった鍋《なべ》ごときれいに食べてしまうようなことがある。そんなときには、酒もそっちのけで、五合炊きのジャーを空にしてしまったりする。

そんな覚えもあるので、逸美は誰が何を食おうと、けっこう無頓着《むとんじゃく》だった。

石盆の上に炭火のおこった七輪を乗せ、尊師の部屋へ進む。

廊下をはさんで、左右に六つほどの部屋があるのだろうか。いずれも障子戸がぴたりと閉められていて、中の様子はわからない。人の気配もない。

廊下を突き当たったところの一間にだけ灯《あか》りがともっていた。

声をかけて襖《ふすま》をあけると、心玉尊師が空中に浮かんでいた。

逸美は、両手の力が抜けて、手にしていたものを取り落としそうになった。それが食器や

飲みものくらいであれば、そのまま落としてしまったかもしれない。

逸美が持っていたのは、まっ赤におこった炭火を詰めた七輪だった。七輪の乗った石盆を摑《つか》みとめた。

さすがに呆然《ぼうぜん》とした意識のまま、手元にぎゅっと力がはいって、七輪の乗った石盆を摑《つか》みとめた。


心玉尊師は十畳ほどの和室の床の間近くの空中に、座禅を組んだ姿勢のまま浮かんでいた。床の上というより、むしろ天井に近い。浮いた尊師の頭はあと二十センチほどで天井に届きそうだった。

尊師は、眠っているようにも見えたが、よく見るとその目は開くでもなく閉じるでもなく、半眼に見開かれているようだ。その半眼の、まつ毛の影を落とした目の中に、瞳《ひとみ》はあるとも見えず、ないとも見えず。ともあれ、口元は何が楽しいのか、うっすらと微笑を浮かべている。

逸美は、自分でもみっともないと思ったものの、ぽかんとあけた口を閉じることができなかった。いったい何秒間、そうして口をあけたまま対座していたのか。一分近いような気もするが、二、三秒のような気もする。後になっては、光景の記憶はあるものの、時間の印象はまったくなかった。

ともかく、逸美は、石盆に乗せた七輪を両手に持ったまま、廊下を逆戻りしていたようだ。

その途中で、前から来た福田導心に出くわした。

放心状態で自分のほうへ進んでくる逸美を、福田導心はいぶかし気に見て、手で制した。

「大生部さん、どうしました」

逸美には答えられなかった。

「その七輪は尊師のところへ持っていくんでしょう。何か不都合でもあったんですか」

「あの、尊師が……」

福田導心は、逸美の手から石盆を受け取ると、床の上に注意深く置いた。

「尊師がどうしました」

「浮いてるんです。空中に」

福田導心は、一瞬目を大きく見開いたが、すぐに大きな身振りで腕を上げると時計を見た。

「ああ、十二時二十分だ」

「………？」

「尊師は十二時に二回目の食事をとられると言ったでしょう。二十分も遅れている」

逸美は、わけのわからないままに謝った。

「ごめんなさい。炭火をおこすのに手間取ってしまって」

「気をつけてくださいよ。尊師は、お腹がすくと、よく〝浮く〟のですから」

「え？」

「いつも夕刻以降は自室で黙想してらっしゃいますが、完全な無我境にはいられて、そのまま何時間もということがよくあります。そのうちに、お腹が減ってくるとすこうしずつ浮かれるんです」

「………」

逸美は目を丸くして福田導心の笑顔を眺めた。楽しいような、困ったような、複雑な苦笑

で、少くとも嘘《うそ》をついている顔からは一番遠い表情だった。

「尊師ご自身は浮いていることを否定なさるんですよ。意力で浮くことはできるが、自分が無我境にはいっているうちに腹が減ってきたからといって浮くわけがない。そんな商店街のおまけの風船みたような聖者がどこにおるか、ってね」

福田はもう一度床から七輪の盆を取り上げ、言った。

「でもね、私は知ってます。お食事の時間を過ぎてるのに瞑想中《めいそうちゅう》の尊師を放っておきますとね、浮くんですよ。たまあにですがね」

福田導心は、心玉尊師の部屋へ向かって歩きながら、振り返って言った。

「私が尊師をおろしておきます。あなたは、一刻も早く、お肉を持ってきてください」

その背に向かって逸美はなんとか声をふりしぼって言った。

「でも、普通じゃないわ。人間が宙に浮かぶのって……」

福田導心は、ゆっくりと振り返って、困ったように逸美を見つめた。

「普通じゃない。それはそうでしょう。でも、そんなことより、とにかく尊師を空中からおろして、ご飯をあがっていただかねば。ご飯を食べるのは普通のことでしょう？」

逸美は、肉を取りに台所へ走った。

大生部は鏡の中の自分の顔を凝視していた。

夕方になるとこうして自分の顔を点検するのが大生部の習慣だった。今日のように自宅ですることもあれば、大学の研究室の鏡ですることもある。約二十分くらいは鏡に見入ってい

る。

助手の道満は、これを「教授の顔あらため」と呼んでおかしがっていた。

大生部はなにも美容のためにこれをやるのではない。毎日の大量の飲酒がたたって、肝臓障害の兆候が出ていないか。それを点検するのだ。

今夜も大生部は自宅の洗面所で鏡に見入っていた。

肌の色は黒い。

陽《ひ》に焼けた健康的な黒さではなくて、酒焼《さかや》けの、どんよりと沈んだ黒さである。そのあちらこちらに小さな吹き出ものができている。

これは免疫グロブリンが低下して、体全体の抵抗力が弱まっていることを示していた。

大生部は学者だけあって、畑ちがいの医学知識にもけっこう通じている。アルコールが人体に与える影響だけでなく、文化、歴史の上でアルコールが果たしてきた悪魔的役割についてまで大生部は知りつくしている。教授が唯一知らないのは「酒をやめられる方法」についてだけだった。

上まぶたをひっくり返して、白目の部分の色を見る。

重たげなたるみのできた下まぶたも裏返してみる。

「黄疸《おうだん》の兆《きざ》しはないな」

鼻の頭を凝視する。

毛細血管が細かくよじれ合っていて、鼻の頭全体が赤くにじんだようになっている。

大生部はシャツの上ボタンをはずして、胸のあたりの皮膚を見た。

肝障害がひどくなると、首から胸のあたりにクモの巣状に毛細血管が浮かび上がってくるはずだ。

大生部の胸は、いつものように生っちろいだけで、血管は浮いていなかった。

鏡の中の顔に向かって大生部は深くうなずいてみせた。

「よし。これで今日も安心して飲める」

鏡の中の大生部の肩口のあたりに、ひょいと小さな顔がのぞいて、愛くるしく笑った。

「お父さん、どうしたの。帰るなり鏡のぞいて」

大生部は納の出現に一瞬たじろいだ。やましいところを発見されたように思ったのだ。

「どうしたって……顔を見てたんじゃないか」

「男のくせに、変なの」

大生部は納を引き寄せて、自分と顔を並べさせた。

「納。おまえ、どう思う。お父さんの顔」

「どうって？」

「男前か」

「それ、答えなきゃいけないの」

「答えんでもいい。自分でわかっとる。五十年間、人さまの悪罵《あくば》にさらされてきた顔だ。だがな、納。これだけは言っておくが、男というものは顔じゃないぞ」

「わかってるよ。〝心〟なんでしょ」

「心？　違う。そんなものではない」

「じゃ、何なのさ」

「男はな、〝肌〟だ」

「肌？　男が？」

「そうだ。男は肌だ」

「よくわからないけど、男が肌ならお父さんは落第じゃない」

「そうだ、落第だ」

大生部は両手で納の頬をはさむと、ぎゅっと押さえつけた。

「その点、おまえはお母さんゆずりで、なかなか良い肌をしとるではないか。え？　すべすべしていてうらやましい」

納はその手を必死でふりほどくと、笑いながらキッチンのほうへ逃げた。

「お父さんって、ときどきわけわからなくなるからなあ。どう対処していいのかわからないよ、僕」

大生部はにたにた笑いながらキッチンにはいると、ガラスケースからグラスとウイスキーを取り出した。

「お母さん、どうした」

「今日は十時くらいになるって言ってた」

「また聖気の会へ行ったのか」

「そうだよ」

「メシはどうするんだ」

「作っておいてってくれたよ。〝チン〟すればいいようにして」

「その〝チンする〟って言い方、やめなさい」

「どうして」

「大の男が〝チンする〟なんてのは、私はどうも好かん」

大生部はグラスのウィスキーをストレートで口に含んだ。気分が苦々しいので、あまりうまく感じなかった。

「これじゃまるで〝クレイマー、クレイマー〟だな」

「何、それ」

「昔の映画だ。お母さんに家出された親父と子供の話だ」

「ふうん」

「おまえも、この際、お母さんは神さまに横取りされたものと思っといたほうがいいぞ。あてにせんほうがいい。何かあったら父さんに相談しなさい」

「お金のことでも？」

「金？　金がどうした。要るのか」

「林間学校の費用が十二万いるんだよ。あさってまでに納めなきゃいけないのに、お母さん、まだ出してくれてないみたい」

「しょうがない奴《やつ》だな」

大生部は立って、ガラス戸棚の一番上に置いてある木箱を取り出した。証書や通帳類はすべてその中に入れてある。

「明日、大学へ行く途中におろしてきてやろう。十二万ちょうどでいいんだな」

「うん」

普通預金の通帳と印かんを、吊《つ》るしてあった背広のポケットに入れると、大生部はまた座ってウィスキーを飲み始めた。

何気なく残りの通帳を開いてみる。

貯金は大生部の年代にしては、多くはないはずだった。

原稿料やテレビのギャラなどは、すべて研究室名義の別口口座にプールしてある。いつの日にか敢行するアフリカでの追跡調査のための個人的貯金だ。それは大生部の、学者としての執念の塊のようなものだった。

だから、家の中にはたいした貯金はない。

定期預金でせいぜい八百万弱だろうか。

何冊かに分かれた定期預金の通帳を眺めていて、大生部は首をかしげた。

逸美の名義になっている二冊の通帳が解約されているのだ。どちらもこの一週間の間にである。

金額にして四百万ほどだった。

そんな大金を動かすような話は逸美から聞いた覚えがなかった。

大生部は、グラスに残っていた液体を一気に飲み下した。

酔いと一緒に、もやのかかった不安が腹の底から立ち昇ってきた。

ただ、その時点では大生部は、その夜の修羅場を予感してはいなかった。

それは大生部家ではかつてなかったほどの大喧嘩《おおげんか》だった。

大生部がいま握っているグラスは、三時間後には逸美によって投げられ、大生部の頭部を襲うことになる。


「どうなさいました。そのおでこは」

応対に出たミスター・ミラクルは、開口一番、目を丸くしてそう言った。

大生部の広い額に、かなり派手な絆創膏《ばんそうこう》が張られている。

大生部は額に手を当てながら苦笑いした。

「きのうの夜中、突然、コップとか皿が空中を飛んで襲ってきましてな」

ミラクルは事情を呑み込んで、懸命に笑いをこらえながら言った。

「ポルターガイスト現象ですな。その飛んでくるコップや皿が誰かによって、たとえば奥さんなんかの手によって投げつけられたのでなければ、の話ですが」

ミラクルの事務所は、下町の商店街のはずれの小さなビルにあった。一階はお好み焼き屋で、その横の細い階段を上がっていくと、「ミスター・ミラクル・マジカル・ボックス」と書いた看板が上がっている。

大生部は、喧嘩のあった次の日の夕方、さんざん迷ったあげくに電話を入れ、ここを訪れたのだった。

「新興宗教。奥さんがですか？」

ミラクルは、手ずからいれた緑茶をすすめながら、きょとんとした様子で尋ねなおした。

「お恥ずかしい限りなんですが。私もけっこう軽く考えておって、妻が尋常でないのめり込み方をしているのに気づかなかった。それが昨日、たまたま通帳を見ていたら、金が四百万円も引き出されている。妻に問いただしたところ、その会に、聖気の会というんですが、そこに納めたというんですよ」

「ずいぶんな寄付ですな。それはその聖気の会から強要されたものなんですか」

「強要でないから余計に困るんです。新興宗教が多宝塔だの壺《つぼ》だのを信者に売らせたり、というケースなら私も知っている。ところがその連中の手口というのはなかなかふるってましてな。要するにそこの教義というのは、心身に宇宙の〝気〟を通して、大宇宙と合一せよってことらしいです。そのためには罪やけがれのない原初の人間に戻らねばならない。それをさまたげるものは欲心や我執です。欲心を捨てるための修練として〝放し〟と呼ばれる行があるらしいのです。ようするに、自分が手放したくないものを、神に向かって〝放す〟ことで欲心を断ち切るという」

「で、奥さんの場合、大事なお金を放されたわけですね」

「会の側は、具体的なことは何も言ってない。すべては信者の自主的な行動なわけです。妻の場合は定期預金でしたが、中には土地の権利書を放す人あり、株を放す人あり、持ち店を放す人ありで、これは壺を売るどころの騒ぎじゃない。おそらくは狂信状態になって、誰がどれだけ多くのものを手放したか、一種の競争心理が起こっているようです」

「そりゃあ、まわりの者がたいへんだ」

「おかげできのうは明け方近くまで妻と口論になりまして。私も極力冷静に妻を説得しよう

としたんですが、とにかく信じ込んでしまっているもんで。いかに理詰めに攻めても耳を貸さない。あなたは何もわかっていない、の一点張りでして。とうとう私もカッとなって……」

「手が出ましたか」

「出そうと思ったら、向こうのほうが飛び道具で先制してきまして。しょっぱなに飛んできたコップにしてやられました」

「ご愁傷さまです。そりゃ、お茶なんかより気つけ薬がいりますな。冷蔵庫に、冷やした泡《あわ》盛《もり》があるんだが、どうですか」

「それはありがたい」

ミラクルは立つと、冷凍庫から、霜の薄くかかったボトルを出してきた。

「グラスがないもんですから」

茶のはいっていた湯呑みをかたわらのティッシュで拭《ふ》くと、それに泡盛を注《つ》ぐ。

「むさ苦しいサービスで申し訳ない」

「とんでもない」

大生部は、湯呑みから一口飲むと目を細めた。

「これはよく冷えてますな。歯が痛くなるくらいだ」

「私は沖縄で獲《と》れたもんですからね。こいつが好物です」

「沖縄ですか、ミラクルさんは」

「本名は島袋《しまぶくろ》といいます。向こうに多い名ですよ。マジックもね、最初は基地の米兵から手

ほどきを受けた」

「ほう、そうですか」

二人は、一瞬黙って手にした酒の表面の小波《さざなみ》を眺めていた。気まずい沈黙ではない。旧知の酒友と酒を酌《く》んでいて、さして言葉も必要でない。そんな種類の静謐《せいひつ》だった。

「そうだ。酒を飲みにお邪魔したんじゃなかったんだ」

いい気持ちになりかけていた大生部が、我に返った。

「変な奴だとお思いでしょう。テレビで一度お会いしただけなのに、いきなり押しかけてきて、自分の家の夫婦喧嘩の話なんぞを始めて」

「いや、別に変だとは思いませんが」

「今日、電話をするときにも散々迷ったんですが。どう考えてもこの件を相談できるのはあなたしかいない」

「どういうことですか」

「妻が入信してしまった聖気の会というのは、教祖である沢井心玉という男が、さまざまな超常現象を起こすらしいのです」

「超常現象？」

おだやかにほころびかけていたミラクルの口元がきゅっと締まった。

「どういった現象を起こすのですか」

「妻は、教祖が空中に浮いているところを見たそうです。それも夜中に一人で、自分の部屋で」

「空中浮揚ですか」

「妻はそれを偶然に目撃してしまったらしいのです。それだけに驚きも大きかったようで。それ以来、完全にこの教団を信頼するようになってしまったようです」

「なるほど」

「そのほかにも、灼けた鉄棒を素手でつかんだり、日本刀の刃の上を裸足で歩いたり、煮え湯の中のものをつかみ出したり、信じられないようなことを衆人環視の中でやってみせたそうです」

「ふむ」

「私が論理で説得しようとしても、妻が頑として折れないのはそのためでして。奇跡をその目で見た以上、信じざるを得ない、と言われると、私としては反論のしようがないわけですよ。いったい、そんなことが可能なんですかな。私にはさっぱりわからんが、あなたなら何らかの説明が可能ではないかと思ったのです」

「もう少し、詳しく聞かせてください。どういう状況でどんなことが起こったのかを」

大生部は逸美から聞かされた話の中で覚えていることのすべてをミラクルに伝えた。

ミラクルは真剣な表情で聞いていたが、聞き終える頃にはその顔つきがかなりやわらいだものになっていた。

「なるほど。だいたいのことは呑み込めましたよ」

「で、どうお考えになりますか」

「どうって、何がですか」

「その教祖の起こす奇跡のことですよ。トリックなんでしょうか」

「お聞きしたうちの大半はトリックではないですな」

ミラクルはきっぱりと言い切った。大生部は意外な答えに困惑を覚えた。その表情を見て、ミラクルは笑って言葉を足した。

「トリックではない。トリック以前のものばかりなんですよ」

「トリック以前の？」

ミラクルはふたつの湯呑みに泡盛を注ぎ足した。

「奥さんの場合、ひっかかった宗教がまだよかったのかもしれない。私みたいな者でも、迷いをさますことができますよ。要するに入信の動機がそういった似非《えせ》奇跡なんですから、その奇跡がインチキであることをわからせてあげればいいわけです。基本的にはね。なまじあざとい真似をして人心を得ようとするから、逆にそのあざとさが我々にとっては取っかかりになる。たいていの新興宗教は、もっと抽象的です。具体的に暴《あば》けるような取っかかりを持っていない。だからディプログラミングがやっかいなんです」

「ディプログラミング？　何ですか、それは」

「〝洗脳はずし〟のことです」

「洗脳はずし？」

「新興宗教の手口の基本は、〝洗脳〟なんですよ。奥さんも五日間の合宿研修に行かれたでしょう。たいていの新興宗教はこのシステムを持っています」

「どうやって洗脳をするのですか」

「基本的には、外と隔絶した空間に人間を集めて、絶えず同じ情報を流し続けます。その間、食事や睡眠、ことに睡眠をきわめて少ししかとらせない。そして夜も昼も、同一の教義を反復するのです。団体によっては、トイレにも風呂場にも歌や詠唱のテープが流れているところもあります。そのうちに受け手のほうは睡眠不足と疲労で、脳の中が空白になってきます。情報を自身でチェックして取捨選択する機能が麻痺《まひ》してくる。そこに続々と一定の思想がノーチェックで流し込まれるのです」

「しかし、人間がそんなに簡単にノー・ガードになってしまうもんでしょうかね」

「警察の取調べを考えてみてください。何日も寝不足の状態の容疑者を延々と同じ部屋で誘導尋問する。あれが洗脳の基本パターンです。頭が空白になった容疑者の中には、自分が殺人をおかしたとほんとうに信じ込む人間もいるほどです」

「なるほど」

「洗脳のテクニックが問題になったのは、朝鮮戦争後のアメリカでです。中国共産党で捕虜になっていた米兵が、帰ってくると共産主義者に変わっていた、ということがままあったそうで。だいたいが〝洗脳〟という言葉自体が中国語なんですね」

「ほう」

「英語では直訳されて、〝ブレイン・ウォッシング〟になってます。日本兵でも、シベリア抑留中に洗脳されたという人はけっこういる。三波春夫もそうです」

「三波春夫がですか？」

「ええ。要するに、〝アカ〟にされて帰ってきたわけです。帰国した直後は〝社会主義講談〟

というのをやっていた」

「ほんとうですか」

「そういう強烈なテクニックを宗教団体が使うんですから、どうなるかわかるでしょう。たいていの洗脳は、合宿などの逃げられない状況の中で、まず信者の自我を叩きつぶすところから始まります。一人を何人もが円になって取り囲んで、罵言《ばげん》の限りをあびせ続けます。プライドも自我も打ち砕かれて、すがるものが何ひとつなくなったところで、唯一の救いの手である〝神〟が示される。それを受け入れると、今度はカタルシスが与えられるわけです。苦しみのかわりに。信者全員が涙を流して自分を抱きしめ、祝福してくれる。空白になった頭に、〝楽〟と〝苦〟だけが明示されるのです。こうなると人間というのは驚くほど弱いですよ」

「わかります」

大生部は、〝社会主義講談〟をぶっている三波春夫の姿を脳裡に描いていた。

「で、ディプログラミングというのは、そうして洗脳された脳を元に戻すということですか」

「そうです。〝逆洗脳〟といってもいい」

「どういうことをするのですか」

「洗脳と同じ手順で、逆のプログラムをほどこすわけです。具体的には、相手を一定の空間に軟禁して、逆の洗脳をします」

「それもまた、恐ろしい話ですな」

「そうですね。もちろん、すぐれたサイコセラピストの監理のもとでないと危険ですし、人権侵害にもなりかねない。日本ではほとんど行なわれた例はありません。むりやりにこれを行なうのは〝信仰の自由〟をおかすことになります。たとえ、入信が〝洗脳〟によって行なわれたとしてもね。ディプログラミングもまた明らかな洗脳なわけですから」

「逸美は……、女房はどうなるんでしょうか」

「奥さんのひっかかった宗教が、まだ〝良かった〟というのはそこのところです。〝だまし〟が歴然とあって、それにだまされたってのは、まだタチがいいといえませんか。〝だまし〟の要素を目の前に突きつけてあげればいいんです。おそらく奥さんは大きな喪失感に襲われるでしょうが、その後、精神的均衡《ホメオスタシス》を取り戻そうとする、心の自然治癒力が働くはずです」

「その、奇跡のインチキを暴くっていうのは」

「もちろん、私がやりますよ。ここ二、三日のうちに、ご都合のいい日をおっしゃってください。奥さんのいらっしゃるときに、お邪魔いたします」

　大生部は深く頭を下げた。

　ミラクルはその手元に新しく酒を注いだ。

「少しぬるくなってきたかな」

　大生部は注がれた湯呑みを口まで持っていきながら、ミラクルを見て言った。

「あなたは、奇術師なんて域をとっくに通り越しているな」

　ミラクルは静かに笑った。

「私はね。奇術師ですよ、教授。奇術師はサーカス小屋から出てはいけないんだ。なぜなら、

外には金がザクザク転がっているからですよ。今回の件みたいにね。奇術師は、奇術師っていう自分の看板をはずすだけでいいんだ。それだけで、聖人、霊媒、予言者、超能力者、何にでもなれる。連中は大金持ちになれる。でも、考えてみてください。その金は、誰の、どういう素姓《すじょう》の金ですか」

「うちの預金通帳から出た金だ」

「そうでしょう。だから私は、こんどは自分もサーカス小屋から出て、外の世界の奇術師狩りをしている。元の小屋に戻らせるためにだ。大学の超心理学研究室、新興宗教、オカルト雑誌、テレビ局。どこに行っても連中の臭《くさ》い息がたちこめてんですよ。私は、連中を追い立てる、ムチを持った奇術師ってとこですか」

「しかし、あんたは、心理学にも精通しているにちがいない」

ミラクルはそれを聞くと、ほんとうに恥ずかしそうな顔をした。

「教授、よしてくださいよ。奇術屋が心理学と往来のできるのは、ほんの入り口あたりだけです。せいぜい、さっきの〝洗脳〟あたりまでだ。つまり、〝人はいかにして判断を誤るか〟。その周辺までが奇術の踏み込める範囲です。それ以上の人間の心理ってのは、たとえば私らのやってる奇術世界ってのが見世物小屋だとしたら、人間の心ってのは……」

ミラクルは宙を見据えて言葉をさがしているようだった。

大生部は、面白く思って身を乗り出した。

「何だね、人間の心ってのは」

ミラクルは目をそらして答えた。

「見世物小屋なんかじゃない、ほんものの魔宮ですよ」

奇術師とは思えない無骨《ぶこつ》な指先で煙草《たばこ》を一本抜きながら、ミラクルは言葉を継いだ。

「そんなおそろしい場所へ踏み込んでいく元気は、私らにはありませんな。フロイトやユングってのはほんとうの意味で巨人だ。そう思いますよ。魔宮に踏み入ったまま、帰ってこられなかったにしてもだ」

そう言うと、ミラクルは、手にしていた煙草をいきなり自分の右目の中へ押し込んだ。

一瞬の早業だった。

煙草は消えていた。

「私たち奇術師はね、タネも仕掛けもない世界に首を突っ込むなんてことは、こわくてできないですよ」

そう言うとミラクルは、左の耳穴からするっと煙草を引っ張り出して、ゆっくりと火をつけた。

大生部の家にミラクルが現われたのは、それから三日後の夕方だった。手には細長い包みをひとつと大ぶりのショッピングバッグをひとつかかえていた。

大生部は、逸美には彼の素姓を伏せておいた。大事な客があるから、今日だけは家にいるように、と釘《くぎ》をさしておくに留めた。

書斎に通されると、ミラクルはまず部屋の壁に切り込んである暖炉に目を留めた。

「この暖炉は、使えるものですか」

「ええ。ここ何年も火を入れたことはないが、煙突さえ詰まってなければ十分機能するでしょう」

「それはありがたいな。なに、薪《まき》をくべるんじゃない。石炭を持ってきてますから、そんなにめちゃに煙は出んでしょう」

ミラクルはショッピングバッグの中からビニール袋にはいった石炭を取り出すと、それで暖炉の中央に小さな山を作った。固くしぼった新聞紙に火をつけて、器用に石炭のひとかけらに火を移す。

「湯も沸かさんといかんな。大ぶりのずん胴鍋のようなものでもあれば……」

「台所へ行って取ってきましょう」

大生部が台所へ行くと、逸美が客に出す茶菓の仕度をしているところだった。

流しの下の戸棚をあけて、ごそごそと鍋をさがし始めた夫の姿に、逸美は呆気にとられたようだった。

「あなた。何なさってるんですか」

「おっきな鍋をさがしとるんだ」

「何を始める気なの、書斎の中で」

「私も詳しいことは知らん」

「大事なお客さまだって言ってらしたけど、どういう方なの、今の人」

「もうすぐ紹介するから、呼びに来るまで部屋には来んでくれ」

「でも、お茶をいれてるとこなのよ」

「前にきて、クラブのママと私をまちがっておっぱいを揉《も》んだ？」

「ああいう人とは違う」

そう言うと、大生部はさがし当てたずん胴鍋一杯に水を張り、へっぴり腰でかかえて、また書斎へ消えてしまった。

書斎の暖炉では、すでに石炭が赤々と燃えさかっていた。

ミラクルは、持参した細長い包みをほどいている。

中から出てきたのはふたふりの日本刀と一本の鉄棒だった。

その鉄棒の一端を石炭の火の中へ無造作に突っ込む。

鍋は暖炉の上部中央にある鉤《かぎ》に引っかけられた。

「さあ、これで用意はいいでしょう。奥さまにお出まし願いましょうか」

大生部に呼ばれて書斎にはいってきた逸美は、室内の異様な情景に息を呑《の》んだ。

「この夏の盛りに火なんかたいて、何をしてるの、あなた」

「客人にその言い方は失礼だろう。これはみんな島袋さんの指示でやってるんだ」

ミラクルは立ち上がると、人なつこい笑顔を逸美に向けた。

「お騒がせして恐縮です、奥さん」

「紹介しよう。島袋さんだ。島袋さんは、おまえのためにわざわざ来てくださったんだ」

「私のために？」

「そうだよ。つまり……」

一瞬口ごもった大生部を、ミラクルは手で制して、後を引き取った。

「実は、私、なかば商売、なかば道楽で、古今東西のいろいろな奇跡の研究をやっておるのです」

「奇跡の……ですか」

「ええ。いまはやりの言葉で言えば、超常現象と言い換えてもさしつかえないでしょう。で、先日大生部教授から、たまたま奥さんの体験をお聞きしまして、たいへん魅《ひ》かれるものがありました。お邪魔でしょうが、もう少し、その沢井心玉という人の起こした奇跡についてお話しいただけませんか」

大生部はミラクルの話を横で聞いていて、

〝ものは言いようだわい〟

と苦笑いした。

その笑いを逸美は自分に対する嘲笑《ちようしよう》だと取ったようだった。

意地のようになって、初対面のミラクルに心玉尊師の不思議な力について、熱弁をふるい始めた。

ミラクルは終始それを興味深そうに聞いていた。

聞き終わると、一息ついてからミラクルは静かな調子でしゃべり始めた。

「なるほど。奥さんが驚かれた気持ちはよくわかります。しかし、私にとっては今のお話はいささか落胆ものでして。正直に申し上げればね」

逸美はきっとなって、ミラクルを見た。

「どういうことですの」

「先にも申し上げましたように、私の専門は古今東西の奇跡を客観的に調べることです。当然、膨大な量の事例に当たります。残念なことに、その中に、これはほんものではないだろうか、と思えるものは数えるほどしかありません。奇跡と言われるものの多くは、おおざっぱに言うと、受け手の側の〝情報の欠如〟に起因しています」

「情報の欠如？」

「極端な例をあげれば、電気を知らない人間に電気を見せる。電気のないことが一般通念である文化においては、これは立派に奇跡で通用するわけです」

逸美は冷ややかに笑った。

「あまりいいたとえではありませんでしたね。私は電気を知ってますわ」

「もちろん、奥さんを無知扱いするわけではありません。この場合、情報の欠如というのは、人間の悪意に対する無知をさすのです」

「悪意に対する、ですか」

「私たちのものの考え方というのは、信頼をベースに置いた思考方法です。世の中が悪意のある人間ばかりで、我々をだましにかかろうとしている、といったものの見方は普通はしないものです。ニュースを見ればそれを事実だと思うし、手紙がくれば、それは差し出し人本人が書いたものだと考える。つまり信じることが思考の基本になっている」

「当たり前じゃないでしょうか、そんなことは」

「もちろん、それで正しいのです。そうでなければ人は疑心暗鬼で、食事も水もとれなくな

って死んでしまいますからね。ただ、人間はそういうポジティブな考え方に慣れてしまっているために、悪意ある人間に対するノウハウをたくわえておくことをついつい怠ってしまうのです。悪意のある人間が人をだまそうとするときにはどういう手を使うものなのか。悪に対する情報の欠如です。これもまた〝奇跡〟をひき起こす結果になる」

「ずいぶん、まわりくどいおっしゃり方ですわね。要するに、島袋さんは、心玉尊師の起こした奇跡がにせもので、彼がペテン師だとおっしゃりたいんですね」

「どうか、腹を立てずに、冷静にお聞きになってください。おっしゃる通りなのです。彼の使った手口というのは、私から見れば呆れるほど陳腐で、いまどきそんなことをしてみせる人間がいるのも驚きだし、また、それにひっかかる人がたくさんいるというのも驚きです。もっとも、いまどきだからこそ通用するのかもしれませんが」

「どういうことですか」

「半世紀前なら、そんなものには誰も洟《はな》さえひっかけなかったかもしれない。巷《ちまた》にありふれてましたからな。心玉尊師の奇跡というのはね、奥さん。昔で言うところの大道芸人、香具師《やし》、テキ屋、にせ山伏なんかがよく使っていた、だましの手口なんですよ」

黙って聞いていた大生部が口をはさんだ。

「大道芸人や香具師っていうと、昔のガマの油売りみたいなものかね」

「まあ、そういったところです」

ミラクルは立って暖炉のそばへ進んだ。

先ほどから突っ込んでおいた鉄棒を石炭の中から取り出す。その先端はまっ赤に灼けてい

た。

「これを尊師は素手でつかんだ、と言いましたね」

棒の先端を大生部と逸美のほうへ向ける。かなり離れているのに、熱気が伝わってきた。

ミラクルは、もう一度、自分の目の前に灼けた鉄棒を持ってきた。

「それは、こんな風でしたか?」

いきなりミラクルは、まっ赤に灼けた部分を素手でつかみ、ぐいっと上へしごきあげた。

逸美が小さく悲鳴をあげた。

ミラクルが、ゆっくりと鉄棒を元の場所へ戻す。

その石炭の山の上では、ずん胴鍋の中で湯がいまやぐらぐらと煮えたぎっていた。

ミラクルは、スーツの胸ポケットからボールペンを取り出すと、湯の中に放り込んだ。

「煮え湯の中のものを取るというのは、こうでしたか」

まくり上げた腕が熱湯の中へ無造作に突っ込まれた。次の瞬間、引き上げられた手には、さっきのボールペンが握られていた。

「灼けた鉄に比べりゃ、こんなものはお風呂みたいなもんです」

それからミラクルは、暖炉の上に置いてあった日本刀ふたふりを取って、さやを抜き放った。

「さて、刃の上を渡るんでしたな。その前に切れ味をお見せしましょう」

机の上から、大生部のメモ用紙を一枚取ると、刃の上に当てて引いた。紙はシュッとみごとに両断された。

「これはほんとにガマの油売りだな。一枚が二枚、二枚が四枚、四枚が八枚と。きりがないからこの辺にしましょう」

床の上に、木枠を置いて、二本の刀を固定する。

青く凍ったような刃が、上を向いてレール状に並んでいる。

ミラクルはその上に、何の前置きもなく、ひょい、と乗った。そのまま、すたすたと四歩ほどで刃を渡り切った。

そして刀をさやに収め、暖炉の上に戻した。

ソファの上に座り直すと、無言で逸美の顔を見る。得意そうでもしかつめらしくもない。おだやかで淡々とした表情だった。

「どうです。私は別に聖人でも何でもないただの人間だが、その私にできることでも、やはり奇跡なんですか」

逸美の顔は青ざめていた。しかし、表情は冷静さを保とうと努めているように見えた。むしろ動転していたのは大生部のほうである。

「さっぱりわからんな。何をどうしたんだね。なぜ火傷《やけど》をせんかったのだ」

「何をどうもしていません。ご覧になった通りですよ。火をつかみ、刃の上を渡ったのです」

ミラクルは、慎重に言葉を選びながら説明を始めた。

「私らが子供の頃には、大道でよく修験者、山伏、居合術使いなんかが芸を見せてたものです。ま、たいていはテキ屋が正体。物売りが目的の人寄せ芸なんですがね。これがまあ、ネ

タを明かされれば実に他愛《たわい》もないもので、〝トリック以前〟だと言いましたのはそういうことです。たとえば、何十年、山で荒行を積んだと称する山伏が、〝気合い術〟なるものを披露するという。気合いで火を消したり点《とも》したりするというんですが」

大生部はそれを聞いて、なつかしそうな表情になった。

「それは私も見たことがある。ランプを使うんでしょう」

「そうです。ランプのホヤ口《ぐち》のところに手を当てて、えいっと気合いをかける。すると実際に、火が消えてしまうんです。で、手を離して印《いん》を結び、もう一度気合いをかける。と、火がまた点るわけです」

「それは、ランプに何か仕掛けがあるんでしょう」

逸美が醒《さ》めた声音で言い放った。

ミラクルは微笑んで答える。

「そんな手間なことしやしません。ランプの口をてのひらでふさぐんですから当然酸欠になる。気合いなんかかけなくても火は消えたようになるんです。でも、芯《しん》に火が残ってますから、手を離せばまた炎が戻ります」

「なんだ、そういうことだったか。私は感心して口あけて見入ってましたが」

「たいていの人は、あんなことで苦もなくだまされてしまうんです。で、これはいかんというので秋山命澄《めいちょう》という人が『法術の正体』という本を出してます。今は手にはいりませんが、その中に今日やったことの種明かしがすべてのっています。たとえば、灼けた鉄棒をつかむのは昔は〝鉄火術〟と呼ばれていました。これの原理というのは、奥さんならよく実感でき

ると思います」

「私がですか？」

「フライパンで料理をなさるでしょう。中華鍋でもいいが。そのときの炒《いた》めもののコツというのは何ですか」

逸美は間髪を入れずに答えた。

「鍋をよく熱することですわ。煙が立つくらいにまで灼いておいて、手早く炒めることです」

「なぜそんなに高温でないといけないのですか」

逸美は、今度は一瞬考え込んだ。

「低温でぐずぐず長く炒めていると、汁気が出てシャキッと仕上がらないからです」

「その通りです。そのよく熱した鍋に、たとえば水を一滴入れてみるとよくわかります。水は、はぜて小さな玉になります。つまり、灼熱した鉄というものは水分を反発する性質があるんです。人間の体も七十パーセントは水分でできています。赤く灼けた鉄を素早くしごいても、鉄はまず第一に皮膚表面の水分をはぜ返す反応をします。熱が伝導する前に手は離れてしまっている。火傷のしようがないのです。なまじ生焼けの鉄よりもむしろまっ赤に灼けた鉄のほうが都合がいいのです。あとは実際にそれをやってみる勇気があるかどうかだけの問題ですな」

逸美は不服気に唇を結んだ。

大生部はそんな妻を見て愉快そうな気配を隠さなかった。

「じゃあ、煮え湯の中に手を突っ込んだのも同じことかね」

「いえ。煮え湯の場合はまた違います。これも昔からある法術のひとつで〝探湯《くがたち》〟と呼ばれています。煮え湯の中のものを取り出すのですが、一瞬のことなのでおわかりになったかどうか。私が湯の中に入れたのは、てのひらまでです。なにも肘《ひじ》まで煮え湯につけて、鍋の底のボールペンを取ったわけではない。沸騰した湯は鍋の中で激しく対流してますから、その流れにのってボールペンが表面まで浮き上がってくるのを取ったんです」

「それにしても熱いだろう」

「手を冷やしておけば大丈夫です」

「いつ、どうやって手を冷やしたのかね。ここには氷はないが」

「直前にアルコールで拭《ふ》いて冷やしました。綿に含ませたものを持参しておったのです。同様にして、冷やした後に油も塗っておきました」

「おそれいったな、これは」

「刃の上を渡るのは、教授ならおわかりでしょう」

「うむ。日本刀というのは、引かんと切れんとよく言うが。やっぱり目の前で刃の上に乗られるとな」

「ただ、いくら引かないと切れないといっても、弾性のあるものの場合だけです。大根のようなものなら垂直に刃をおろしても切れます。腹の上で大根を切ったというのは、つまりこの性質を利用したもので」

「なるほど。どれを見ても〝種も仕掛けもない〟ものばかりだ」

「人間は刃や火に対しては根源的な恐怖を覚えるものですからね。誰もそんなものに近づこうとはしないし、ましてや刃や火の上を渡ろうなんてバカなことを試してみる人はいないでしょう。そこが盲点になっているわけです」

「刃はともかく、火の上を歩くなんてことができるのかね」

逸美は、大生部のこの一言で多少威勢を取り戻した。

「心玉尊師は渡ってらしたわ。写真で見ただけだけれど。しかも信者の人を後ろに従えて一緒にですよ」

ミラクルは微笑を崩さずに答えた。

「それも古典的な術なんですよ、奥さん。御岳教《おんたけきょう》なんかの行者がやる神道の行事で、〝火渡り〟といいます。普通は四隅に竹を立ててしめ縄で結界《けっかい》を作ります。その中で炭を並べて燃やします。〝火祓《ひばらい》の祝詞《のりと》〟ってえのをあげて、浄《きよ》めの塩をまいてから渡ります」

「それも〝トリック以前〟のものなんですの？　なら、いまここで見せていただきたいですわ」

ミラクルは困惑の色を少しだけ眉根《まゆね》のあたりに漂わせた。

「申し訳ないが、そればかりは今日ここではできんのです、奥さん」

「あら。だって、その暖炉に炭ならいっぱいあるじゃないですか。いいのよ、この際。うちの床くらい多少焦げたって。どうせ主人の書斎なんですし」

「おいおい」

逸美は、子供っぽい争いだとは思いながら、この論争にムキになっている自分を抑えること

とができなかった。突然他人《ひと》の家に現われて尊師をペテン師呼ばわりするこの男は、いったい何さまのつもりなのか。劣勢に立たされるにつれて、逸美のミラクルへの反感はつのっていった。

「たしかに、灼けた鉄棒をしごくのと、火の上を渡るのでは危険度が違いますものね。もちろん、そんなことをしてくれって、無理にお願いするつもりはありませんわ。中年の殿方の足の裏のステーキを見せてもらっても食欲は湧《わ》きませんから」

毒のたっぷりはいった逸美の一言を、ミラクルはやはり微笑でもってやんわりと受けとめた。

「できないというのは、つまり、炭の種類が違うからなんですよ、奥さん」

「炭の種類？」

「ほら。私が今日持ってきたのは石炭です。〝火渡り〟に使うのは必ず〝松炭〟でないといかんのですよ」

「松炭？」

「もういまや炭を使うのは焼鳥屋さんくらいのもんでしょうから、ご存知ないでしょうが。松炭というのはね、たいへんに灰の多い炭なんですよ。しかも、踏むと下の火がすぐに消えて、圧力を戻すとまたすぐに赤くなるという性質を持ってます。〝火渡り〟のときには、この灰の多い炭の上に、さらにたっぷりと浄めの塩をまきます。渡る人間の足にもしっかりと塩を付けます。こうしておきますと、真夏の砂浜を裸足で歩くよりもずっと楽に火の上を歩くことができるんです。別に〝火祓の祝詞〟が火勢を弱めてるわけではないのです」

「………」

逸美は、

「違う！」

と心の中で叫んだ。

あなたたちに何がわかるものですか。目の前で、何ひとつ実際に見たことのないあなたたちに。

しかし、一方で逸美の心の中にむくむくと入道雲のようなものが湧きおこっていた。疑いと不信の、いやな色をした雲だった。

ミラクルが、いたわるように、静かに声をかける。

「悪意に対する情報が欠如していると申し上げたのは、要するに今のようなことなのです。クイズというものは、作るのは簡単ですが、解くのはとてもむずかしい。〝馬に乗っている丹下左膳《たんげさぜん》〟てえ答えがまずあるとします。クイズのほうはどうなるか。〝目が三つ、足が六本、腕が一本のものは何だ〟となりますね。こんなものに答えられる人がいますか」

「〝バケモノ〟って答えが正解だってのもあるぞ」

大生部がニヤニヤ笑いながら言った。

見ると、いつの間にかウィスキーのたっぷりはいったグラスが手に握られていた。この場の緊張に耐えきれずに、こっそり飲み出したもののようだった。

ミラクルはかまわずに続ける。

「それがクイズだと最初から明言されておれば、それでもいいのです。たとえ一生答えがわ

からなくてもね。同じように、トリックも〝これはトリックですよ〟と、最初からコンセンサスがあればそれでいい。一生ネタがわからなくったって、別に生きるさしさわりにはならない。問題はね、奥さん。ネタをばらさない連中の存在ですよ。ばらさないどころじゃない。ひとつの嘘《うそ》を死守するために十の嘘をつく。そういう連中の存在に対して、あなた方はあまりにも無防備だ」

しゃべっているうちに、ミラクルは自分の口説にたかぶってきたのかもしれない。

「教授。ちょっと、それをください」

と言って、大生部のグラスを取って、ぐびりと一口飲み込んだ。ストレートのワイルド・ターキーだ。

「あ……あ……」

と大生部はうめいた。ミラクルはにらみ返して、

「なにが、〝あ……あ……〟ですか。グラスをもうひとつと、氷をタンブラーに入れて持ってきなさい」

大生部はおとなしく指示に従った。

ミラクルは、グラスの底に残った黄金色の液体を揺すって小さな津波を起こし、その波頭を眺めながら言った。

「私は、本名は島袋ですが、プロのマジシャンです。芸名はミスター・ミラクルといいます。マジシャンというよりは〝超能力あばき〟なんて言ってる人も多いようですがね」

逸美は、その一言でなんとなくしこっていたものがほどけた。

「どこかで見た人だと思ってましたわ。たしか、大生部ともテレビで……」

「そうです。たまたま、教授から〝聖気の会〟の奇跡の話を聞いたもので、すぐにピーンときまして。あつかましいことだとは思ったのですが、こうしてお伺いした」

「それはどうもご親切に」

逸美は、精一杯の皮肉をこめてそう言った。

ミラクルは、気にする風もなく言葉を続ける。

「奥さん。サキという作家をご存知ですかな」

「サキ？　ええ。短編なら一、二編読んだことがありますけれど」

「少女の幽霊の話は読まれましたか」

「いえ。……たぶん……」

「こういう話なんですよ。外遊していたある男が、数年ぶりで帰ってきて友人の家を訪れます。その友人の家には、可愛《かわい》い娘さんがいた。元気にしているか、と尋ねると、友人はハラハラと涙をこぼして、実は娘は病気で亡くなってしまった、と答えるわけです。その病状から、最期の様子に至るまで、詳細にわたって述べます。主人公もついもらい泣きをしてしまいますが、実はこれ、全部嘘なんですね。娘は元気にぴちぴち育ってるわけです。その日は泊まることになって、部屋でくつろいでいた主人公。ふと見ると窓の外に、件《くだん》の娘がにこにこしてのぞいているではないですか。このときの驚きというのが、どういうものか想像してみてください。それにまた、自分は〝幽霊を見た〟という確信が、どれほどゆるぎないものであったかを考えてみてください。結局は〝嘘〟なんですね。ただのジョークです。それが

ヘタをすれば失神するほどの驚きと恐怖を主人公に与えるわけです。この小説では、もちろん悪友はネタばらしをします。しかし考えてみてください。ここでこの件がただのプラクティカル・ジョークだとばらされたからいいようなものの、もしも何らかの事情で主人公が真相を知らされないままにどこかへ旅立つことになったとしたら」

逸美は考え込んだ。

「心霊主義者《スピリチュアリスト》になるでしょうね。でも、すべてが仮定のうえに成り立っている、そんな例をあげられても困りますわ。空論にすぎない」

ミラクルの目が光った。

「そうでしょうか。現実は〝空論〟で遊ぶほど悠長じゃありません。人をだます能力のある人間は、その能力を〝ジョーク〟に使ったりはしないのです」

「心玉尊師がそういう人種だとおっしゃりたいのね」

「おっしゃりたい、のではなく、そう断言するのです」

「なぜ？　尊師のなさったことが、大道芸人だとか手品師にも再現可能だから？」

ミラクルは少し、ひるんだ。いつも行きつくところへ、今回もまた話が戻ってしまった。

「手品で再現できる」ことは、超能力否定の決定項にはなり得ない。

ミラクルは、うんざりするくらいそうした論議を経験してきた。ここでもまたそこから始めなければならないのか。しかも、新興宗教の狂信者を相手に、「スプーン曲げ論議」から始めなければならないのか。

以前に大生部と一緒に出たテレビ番組を、ミラクルは思い出していた。あの、何といった

か、超能力小僧。……清川だ。清川慎二だ。〃パーム〃を使って、幼稚なスプーン曲げをしていた。

パームは奇術の基本技術だ。てのひらの内側に様々な小物を隠す。コインからカードまで。消し、出現させる。

手品の幼稚園芸だ。

それをあの清川は、「超能力」だと言って臆面《おくめん》もなくテレビカメラの前でやってみせた。

折ったスプーンの柄が、あらかじめパームテクニックでてのひらに隠されていた。本物のスプーンの柄はてのひらで隠しておいて、スプーン先端と、仕込んだ柄を指の間から見せる。

もちろんのこと、スプーンは見る見るうちに曲がっていく。

最後に清川は、

「こんなもんでいいか」

と言いながら、曲がったスプーンを音を立てて机の上に置いた。

仕込んでいた、折れた柄はその瞬間にてのひらに隠した。スプーン本体は、そのとき手の力で曲げ、さらに机に打ちつけて曲げた。

こう書くとたいしたテクニックのようなのだが、ミラクルから見ると、見ていられないほどの稚拙な技量だった。

「稚拙だから受けるのだ」

そのことをミラクルは肝《きも》に銘じている。熟知している。ユリ・ゲラーがそのことを教えてくれた。

ユリ・ゲラー・ブームが起こったのは一九七四年のこと。正確に言うとこの年三月七日のNTV「木曜スペシャル」を皮切りとする。

この日、番組にユリ本人は録画でしか登場しなかったが、オン・エア中の八時三十五分にカナダから念力を送ってみせる、と公言した。故障した時計をテレビの前に持ってくれば動かしてみせる、というのだ。

テレビ局にはその直後から、動かなかった時計が動き出した、という電話が殺到した。

ミラクルも当然この夜のテレビを見ていた。

「こんなことで人がひっかかるのか」

暗然とした思いだった。

この「時計直し」は、外国では洟もひっかけられない古くさいトリックのひとつである。

パーティ・ジョークの一種なのだ。

時計の故障の原因のひとつには、歯車の間に油のかすがたまって動かなくなる、というのがある。もちろん、今の日本では歯車のある時計のほうが珍しいだろうが、少くともユリ・ゲラーの出た一九七四年には竜頭《りゅうず》や歯車が幅をきかせていた。

握っていると、油が手の温度で溶ける。揺すっていると、汚れや詰まりがはずれることもある。

つまり、一定のごく少い確率ではあるが、時計は「動き出す」のだ。

テレビ局には、「時計が動き出した」人の報告ばかりが電話で鳴りひびくことになる。

ユリ・ゲラーは、もともと根っからの手品師。それもミラクルから言わせれば、〝素人ク

ラス〟の手品師だ。

一九四六年、イスラエルのテルアビブで生まれている。十八のときに相棒のシピ（シンプソン・シュトラング）と出会い、ともに奇術の研究を始めた。知人間のパーティをきっかけに〝超能力ショー〟を始め、キブッでの余興を経て、やがてナイトクラブでショーをすることになる。いわゆる読心術ショーのようなものだが、ごく幼稚なしろものだった。要するに、いつも会場にシピがいて合図を送っていたのである。

舞台には黒板がある。

ユリ・ゲラーはそれに背を向けて、しかも目隠しをしている。

客の一人を選んで、黒板に1から10までの数字を一つ書いてもらう。観客一同が書かれた数字を確認したところでその字を消してもらう。ユリは目隠しを取る。

客に向かって、いまご覧になった数字を念で私に向かって送ってくれ、と言う。

こっているのはこの後で、ユリは顔をしかめてつぶやく。

「誰か、イタズラで、わざと違う数字を念じている」

客の中、少くとも数人がギョッとする。

やがて、ユリは答えを出す。

「その数は8です」

もちろん当たっている。

シピがサインを送っているからだ。

サインは以下の通り。

1↓左目にさわる
2↓右目にさわる
3↓鼻をかく
4↓唇をなめる
5↓左の耳にさわる
6↓右の耳にさわる
7↓腕時計をおさえる
8↓あごをひっぱる
9↓手の上にあごをのせる
10↓右足の上にひじをのせる

このスッパ抜きは、イスラエルの週刊誌「ハオラム・ハゼフ」一九七四年二月号によって行なわれた。
故郷イスラエルにおけるユリ・ゲラーは、要するに「失脚者」となった。裁判所からは、以降「ＥＳＰ」「サイコキネシス」「パラサイコロジー」といったただまし文句を使うことを禁ぜられた。そのほかにもユリは当時、ソフィア・ローレンと並んで写っている「ニセ写真」を偽造して発表した、というので問題になっていた。

この時点で、ユリ・ゲラーは「いかさま師」として、ほぼ故国追放の状態になっている。

悪運というのはあるもので、その頃、あらたな〝カモ〟が現われた。

アンドレ・プハーノフというアメリカの超心理学者だ。この人はユリをほんものの超能力者だと信じ込み、『Uri《ユリ》』という本を書いた（『超能力者ユリ・ゲラー』二見書房）。

この本によると、ユリは「何兆光年」も離れたフーバなる惑星の宇宙船からコンピュータで操作されている、という。現在の天文学では宇宙の径は百六十億光年とされている。何兆光年という数字は出てこない。

いずれにせよ、ミラクルにとって我慢のならないのは、ユリ・ゲラーの使う「ネタ」の稚拙さ、および技術のつたなさだった。

まっこうからにせものだと暴くのなら、せめてもう少し暴きがいのある手品の技量を示してほしい。

ミラクルはそう思った。

ところが、現実に起きることは予想外であった。

世にいう「超能力少年」が、つたない技術を駆使してスプーンを曲げる。

ときには周囲のあまりのチェックがこわくて曲げられないこともある。

ミラクルの場合、これは二、三秒もあれば百発百中曲げることができる。

すると、世間の反応というのは面白いのだった。

「あんたは手品師だから百発百中、そういうことができる。でも、あの子は超能力少年だから、失敗もするし、まったく何もできないこともある。これこそほんものである証拠だ」

苦笑いするしかない。

いま、それとまったく同じリアクションが逸美に起こっている。

現に、逸美はミラクルをにらんで憎々しげに言葉をつないだ。

「にせ修験者ににせ山伏。あなたのおっしゃるのは、そういうイカサマをやるにせものばっかりですわね。でも、にせものがそれだけ出るっていうことは、〃ほんもの〃がいたからでしょう。ほんとうの奇跡を起こせる人が」

逸美は勝ち誇った口調になっていた。

「心玉尊師が、そういうほんものの聖人だとおっしゃりたいんですね」

ミラクルの口もとには、まだ微笑がかすかに残っていた。

「他のことは知りませんけれど。あの方だけはね」

「あの人はね、ただの手品好きの風呂屋《ふろや》ですよ」

「風呂屋？　何、それ」

「調べたんですよ。沢井心玉という人のことをね。本名は沢井真吉といいます。アマチュアの奇術愛好家でした」

「嘘よ」

「古い名簿にのっています。住所が今の道場と同じなのですぐにわかりました。あの道場、けっこう広いでしょう。もともと、〃玉の湯〃という風呂屋だったんですよ」

「そんなこと、どうやって」

「現地まで足を運びましたからね。近所の婆《ばあ》さん連中に聞きました」

「手品だけじゃなくて探偵のまねまでなさるの」

「ときと場合によりますがね」

　ミラクルは、逸美の言葉のトゲくらいには動じない。

「あの人はその玉の湯の四代目のオヤジだったんですが、けっこうな道楽者でしてね。手品にこったのも、クラブで女の子にもてたい一心だったらしい。内風呂の普及もたたって二十年くらい前にとうとうその銭湯をつぶしてしまった。"神さまが降りてきた〃と彼が言い出したのはその直後です。食うに困って思いついたのが、神さま商売だったらしい」

「やれやれ」

　大生部がため息をついた。

「風呂屋のオヤジが生き神さまになっちまったのか」

　逸美がキッとにらむ。

　ミラクルは続ける。

「最初のうちは信者も集まらなかったんですが、福田という男が手伝うようになってから目に見えて信者が増えてきました。福田は、もともと沢井がしょっちゅう通っていたキャバレーの、マネージャー兼用心棒のようなことをしていた男で、腕っぷしも強いけれど弁も立つ。沢井はそこを見込んで引き抜いてきたんです。聖気の会の理論体系は、すべて福田が作り上げたものです。信者を洗脳するテクニックは、福田が以前所属していた自己開発セミナー団体のノウハウを、そのまま持ってきたらしい。福田という男は、そんな風に職を転々として、組関係に所属していたこともある。殺人の前科が一件ついてます。まあ言えば半分ヤクザみ

たいな男ですよ」

「信じられないわ、そんなこと」

逸美の表情は硬かった。

「信じられないいんじゃなくて、信じたくないいんでしょう。あなたは理知的で教養も深い方です。そんな自分が、やすやすとだまされたことを認めたくない。その気持ちはよくわかります。しかし、冷静に考えてみてください。相手は銭湯のオヤジとヤクザがつるんだカップルなんですよ」

「それは職業差別だわ」

逸美は食いさがる。

「銭湯のご主人が宗教家になってはいけないの。職業のことを言うなら、キリストだってただの大工さんだってことになるわよ」

「たしかに失言かもしれません。銭湯の主人だから教祖になれないという法はない。宗教的な修行を積んでいないのは多少問題ですが。しかし、もし彼がまっとうな宗教家であるならば、なぜ大道芸人の陳腐な〝法術〟を使って信者をだます必要があるのですか」

「ちょっと待ってください。私はまだ、尊師がそういうペテンの法術を使ったと認めたわけじゃないんですよ」

ミラクルは、やれやれという表情で、かたわらの大生部に目をやった。

大生部は、〝我関せず〟といった顔でウィスキーグラスに鼻を突っ込んでいた。

逸美はまっすぐにミラクルを見つめている。

「だって、尊師さまは空中に浮いてらしたんですもの」

大生部がむせた。一件落着したかのように思っていたが、その一件を忘れていたのだ。

「そうなんだ。部屋で一人で浮いてたって言うんだよ。逸美はたまたま一人でそいつを目にして度肝を抜かれてしまったらしい」

大生部はすがるようなまなざしでミラクルを見る。逸美は自分に言い聞かせるように言葉を継いだ。

「百歩譲って、灼けた鉄を握りお湯に手を入れるのが奇跡ではないとしても、あれだけは説明のしようがないわ」

「おそらく」

ミラクルは動じない。

「それだけが心玉尊師の使った唯一のマジックらしいマジックなんでしょうな」

「まだそんなことを言うの。疑わなければ気がすまないのね。心の卑《いや》しい人は不幸だわ。何ひとつ信じられないのね」

「心が卑しいのは私ではありません。心玉尊師です。そして不幸なのは、奥さん。あなたですよ」

おだやかな口ぶりだが、ミラクルの放つ言葉には固い芯のようなものがあった。

「私は偶然にそれを見たのよ。あなた、観客もいない自分の部屋でマジックをしたりする？」

「しませんね。ギャラが出ない」

ミラクルは笑った。

「うまいのはそこのところなのです。たぶんその手口は福田が考えたのでしょう。奥さんは、偶然その空中浮揚を見たとおっしゃいましたが、それはほんとうに偶然ですか？　何をしに尊師の部屋へ行かれたのですか」

「それは」

逸美は一瞬詰まった。

「〝気の子〟という、尊師の身の回りの世話をする当番制度があって、間辺さんの奥さんがその日の当番だったんです。でも、彼女、過労で倒れちゃって、私がかわりに夜食を運んだんですわ」

「その指示は誰が出したんです」

「それは、福田導心です」

「つまり、何時何分に尊師の部屋にあなたが行くということは、あらかじめわかっていたわけですね。それが〝偶然〟だと言えますか」

「あ……」

「偶然ではない。仕組まれたことです。でも、奥さんはそれを偶然見てしまったと錯覚する。衝撃はそのために倍加します。たくさんの人に見せるより、奥さん一人に見せるほうが向こうにとってもいいのです。奥さんは、他の信者さんたちに自分の見たことをしゃべりまわったでしょう」

「え。……ええ」

「そのほうが逆にリアリティがあるんです。人をだます場合にはね。本人が万人に見せるよりも、一人の人間から口コミで伝わっていくほうが、より真実らしく見える」

「じゃあ、すべて仕組まれたことだとおっしゃるのね」

「そうでないと。用意がいりますからね。いまここで急に宙に浮けと言われたって、私にもそれは不可能です」

「都合のいいことばっかりおっしゃるのね。何の証拠もないのに他人をペテン呼ばわりして。当て推量を言うだけなら誰にでもできるわ」

「では、もし……」

ミラクルの口もとから初めて微笑が消えた。

「もし導師の空中浮揚がトリックだという証拠をお目にかけたなら、私の言ってきたことすべてを信じてもらえるわけですね」

「それは……」

「連中がインチキ宗教だってことを認めて、脱会してもらえますね」

「そこまで言われては私も引っ込みがつかないじゃありませんか」

大生部が心配そうに尋ねた。

「しかし、どうやってトリックを証明するのかね」

「なに、簡単なことですよ。空中浮揚というのは、マジックの中でもけっこう大技ですからね。そこそこの大きさの仕掛けが要る。導師の部屋を探せば、その装置は見つかるはずです」

「部屋を探すって……。忍び込むのかね」

「多少危険ですがね。それをやらないと水掛け論に終わってしまいます」

ミラクルは逸美のほうへ顔を向けた。

「この次、尊師が信者の前に立つ、つまり、自分の部屋を空けるのはいつですか」

六

道満光彦は困惑した表情でメモを見つめていた。大学の大生部研究室のデスクである。

「これを今日中に揃《そろ》えるんですか、教授」

大生部は、紙コップのコーヒーの中にウオッカをどぼどぼと足しながら赤い顔で答えた。

「うん。たいていのものはこの研究室にあるだろう。フィールドワーク用の備品の中から見つくろってくれないか」

「そりゃ、探しはしますけど」

道満はもう一度、大生部に手渡されたメモを見直した。

「ザイルに黒のスキー帽に懐中電灯……。ガラス切り？　何ですかこのガラス切りってのは」

「ほら、よくスパイなんかがだな、窓ガラスにペタッと貼《は》りつけて、丸くガラスを切ってだな。ポンと抜く。映画でよく見るだろう。ああいう奴《やつ》だよ。売っとらんかね、どっかに」

「さあ」

「東急ハンズなら置いとるんじゃないか」

「どうでしょうねえ。しかし、いったい何をおっぱじめるつもりです。これじゃまるで空巣《あきす》の道具ですよ」

「空巣か……」

大生部は嬉々《きき》とした表情になった。

「うん。そういう見方もなりたつな。うん」

道満は、ほんとうに心配になってきたらしく、真顔で言った。

「ねえ、教えてください。どうしてこんなものがいるんですか」

大生部は嬉《うれ》しそうなままだ。

「いや。わけあって、君にだけは言えん」

「どうしてですか」

「言えばついてくるに決まっとる。かわいい助手を、私のせいで危険にさらすわけにはいかん」

そう言って大生部は両目を閉じ、コーヒーを口に運んだ。道満が追い討ちをかけてくるのを待っているのだ。心の中では、すでに事情説明の手順を整理し始めていた。

道満は、結局その日の午後いっぱい、「ガラス切り」を探して都内をうろつくはめになった。もちろん、自分用の泥棒衣裳《いしょう》も揃える段取りだ。

聖気の会への潜入は、その週の土曜日に決行される予定だった。この日は新人勧誘が目的の「ご縁の日」になる。心玉尊師が信者たちの前に出る、二十分ほどの時間を利用して裏口

から侵入し、尊師の個室を調べねばならなかった。

メンバーは、ミラクル、道満、大生部、逸美の四人である。

ミラクルは、年のわりには身のこなしも軽やかそうだ。道満も逸美も体力的には問題はない。

「問題は……」

道満は大生部の、どことなくオットセイに似た、のったりした動作を思い出して、もうそれ以上何も考えないことにした。

「この年になって007のまねをするとは思わなかった。さすがに膝《ひざ》が笑っとるよ」

黒のトックリシャツに黒のスラックスをはいた大生部は、なぜかスラックスのすそのまわりをヒモでゲートルのように巻いていた。

007というよりは、昔のエロ映画で押し入れから出てくる空巣だ。道満は喉元《のどもと》まで出かかった言葉を抑えた。ここは敵地も敵地、心玉尊師の部屋へこれから忍び込もうという、そのガラス窓の前なのだ。

三十分ほど前に集会が始まった。

逸美はいつものように参加した。大生部、ミラクル、道満の三人は近くの喫茶店で逸美の連絡を待った。

心玉尊師の説教が始まる直前に、逸美はさり気なく座をはずし、待っている三人に連絡をとった。

集会場の周囲は植え込みが多く、けっこう人目は避けられそうだ。

導師の部屋の窓はごく普通の両開きのガラス窓である。覗《のぞ》いてみるが人の気配はない。文机《ふづくえ》の上に読みかけの雑誌が一冊。畳の上にはゴルフクラブが二本ばかり転がっている。手入れでもしていたのだろうか。

「いよいよだな。なにかこう血中にアドレナリンがふつふつと煮えたぎる感じがするな。こういうのを武者ぶるいというのだろうな。しかし、道満くん、やはりここで侵入するということは違法行為だわな。捕まったら何年くらいの刑になるのだろう」

道満は呆《あき》れ顔で言った。

「教授。お願いですからそんな大声でぺちゃくちゃしゃべらないでくださいよ。大学の講義じゃないんですから」

「うむ。悪かった」

あまり悪いと思っている顔ではなかった。

「で、道満くん。いよいよあれを使うときがきたな。え？」

「ガラス切りですか？」

「そうだよ。わしゃ、この一瞬を楽しみにしとったんだ。早く出したまえ」

「でも、こんなのでうまくいくのかな」

道満は腰のポシェットから、ボールペン様のグラスカッターを取り出した。

「何だ、それは」

「ガラス切りですよ」

「私の思っとったのと全然違うな。私の言うとるのは、スパイ映画によく出てくる、吸盤が
ついとってだね、コンパスみたいにシャーッと丸く切ってポコンと抜く……」

「わかってますけどね。こんなのしかなかったんですよ」

「それで丸く切れるのか」

「いや、直線にしか切れんでしょう」

「よしんば四角に切ったとしてもだな。吸盤はどうするのだ吸盤は」

逸美が大生部の口をふさいだ。

「あなた、声が大きいんですってば。とにかく早くしてくださいな。尊師の法話は、気が乗らないときには二十分くらいですんでしまうんですからね」

「うむ。よし、道満くん、とにかくやってみたまえ」

「はい」

道満がカッターを窓ガラスに当てようとしたところを、ミラクルが手で制止した。

「ちょっと待ってください」

「はい？」

ミラクルは、両開きの窓の合わせ目を、指で一度なぞった。次に窓の枠を両手でつまむと、手前に静かに引いた。窓は、音もなく開いた。

大生部は呆然《ぼうぜん》と口をあけた。

「何だ。何をしたんだ。針金でも使ったのかね」

ミラクルはにこりともせずに答えた。

「素人にネタをばらすのはよくないんですがね。このくらいのことならかまわんでしょう。鍵《かぎ》がかかってなかったんですよ、最初から」

「かかってなかったって」

「さ、はいりますよ」

ミラクルは軽い身のこなしで窓から室内にはいる。道満、逸美が続く。

大生部の場合は、ひらり、とはいかなかった。道満と逸美が腕を持って引っ張りあげてやる。

「尊師が浮いていたというのはどの辺ですか、奥さん」

「その、右手の壁を背にして」

「このあたりですね」

ミラクルはていねいにその壁を調べた。

軽くその壁を叩《たた》いてみる。

「なるほど」

「何かわかったかね」

「ここです。よく見てください」

ミラクルの指先を三人の目が追う。

壁の中央に、注意して見ないとわからないほどの筋が、床下から天井まで走っていた。

「この壁の裏の部屋は何ですか？」

「さあ」

「どちらにしても、ここは少し開くはずなんだが」

ミラクルは、そのかすかな筋の間に爪《つめ》を立てて横に引いた。壁が少し動いて、二センチほどの幅のすき間ができた。

「ここから出してたんだな」

「出してたって、何をですの？」

「たぶん鉄パイプで作った座椅子《ざいす》のようなものでしょう。では、隣の部屋へ行って、ひとつ拝見といきましょうか」

一同は、廊下に誰もいないのを確かめてから、隣の部屋目がけて走った。

隣は六畳ほどの和室だった。

「なんだ、何もないじゃないか」

大生部は、ガランとした部屋の中を見渡して失望の色を浮かべた。道満が反論する。

「そうじゃない。ここまで走った廊下の長さに比べると、この部屋はせますぎますよ」

ミラクルは床の間を調べていたが、やがて小さく叫んだ。

「あった。これですよ」

床の間の左側の壁がドアになっていた。

押すと、カチッというかすかな音がして、それは内側に開いた。

中は間口二メートル、奥行き八メートルほどの横長の空間になっていた。入り口近くに電気のスイッチがある。

電灯がともる。

「何だ、これは」

　大生部がまた大声を出して一同からにらまれた。

　部屋の中央にパイプで組んだ、天井近くまであるやぐらがあった。何種類かの歯車、自動車のものより一回りほど大きいハンドルがついている。天井には滑車《かっしゃ》がふたつ打ち込んであり、そこを通ったチェーンがやぐらの中の歯車に嚙《か》んでいた。

　ミラクルは面白そうにこの装置を点検している。

「ふむふむ、マスクリンの浮揚機だな」

「こいつで浮いてたのかね」

「ええ。これは、ジョン・ネイビル・マスクリンてえイギリスの奇術師が考えた機械なんですけどね。原理はいたって簡単で、フォークリフトのようなもんだと思ってください。これをね」

　ミラクルは床に立てかけてあった奇妙な形の部品を取り上げた。テニスラケットのような形に組んであるが、丸い部分にクッションがついている。

「これをこうリフトにはめ込んで、ネジで固定します。さっきの壁にできたすきまから差し出して、尊師はその上に乗っかるわけです。あとは、ハンドルをまわせば、ほら」

　滑車を通ったチェーンが歯車に巻き込まれて、座席が二十センチほど上にあがった。

「ずいぶん単純なもんだな。こんなもので客がだませるのかね」

「もちろん舞台ではいろんな演出をします。たいていは女の子が横になって浮くんですが、その受け台をささえるパイプもコの字型に曲げてあります。この曲がりをうまく使って、輪

っかを前後に何度もぐらせたように見せるんです。後ろに何も支えがないように見せるんですね」

「あんたたちってのは、悪知恵のかたまりだな」

大生部はハンドルをとって、二、三回まわしてみた。

「ほう、こりゃ面白い。道満くん、君、いっちょ乗ってみんかね」

「先生、遊園地じゃないんですからね」

ミラクルは逸美のほうを振り向いて言った。

「奥さん。納得がいきましたか」

「わたし……」

逸美は言葉がなかった。

「いや。だまされるのは無理ないことです。舞台の上ならまだしも、普通の家の座敷で人が浮いてた日には誰だって肝《きも》つぶしますよ。しかも、いかにも偶然それを見てしまったっていう演出をされればね。信じ込んでしまうのは仕方ありません」

「恥ずかしいわ……」

憑《つ》きものが落ちた、とはこういうことをいうのだろうか。逸美は、ばかばかしさと怒りでいっぱいになっていた。今までの自分の熱狂、あれはいったい何だったのだろうか。

グワシャーン！

とんでもない大音響がおこった。

「すまん。手がすべった」

大生部がハンドルを離したために、天井近くまであがっていたリフトが、つるべ落としに落下したのだった。

「いかん。逃げるんだ」

ミラクルを先頭にして、四人は脱兎《だっと》のごとく廊下へ飛び出した。

侵入口である導師の部屋へいま一歩でたどりつくというときに、廊下を走ってきた人影がミラクルに体当たりした。みごとなタックルだった。ミラクルはそのまま後ろ向きに倒れて、廊下の板でしたたかに頭を打った。

「何だ、おまえらは」

福田導心だった。

逸美は福田の顔を見てギョッとなった。説教のときには見せたことのない、凶悪で殺気に満ちた表情だった。

「大生部逸美さんでしたな。あんた、途中から抜けたと思ってたら、こんなところで何をしている。その男たちは何なんだ。尊師のお住まいの聖域へずかずかと。おそれ多いと思わんのか」

逸美は福田のものすごい形相《ぎょうそう》に足がふるえてとまらなかったが、気丈に叫んだ。

「何が聖域よ。滑車や歯車で宙に浮いてるような人の何が尊師さまなのよ」

「あれを見たのか」

「見たわよ。あの機械はあなたがハンドルまわしてたの？　重かったろうに、ご苦労さまなこと」

「そいつらは何だ。どっかで見た顔だ」

「私の主人と助手の道満くん。ミスター・ミラクルは知ってるでしょ。あんたたちの天敵でしょうから」

福田の顔が怒りで紫色にふくれあがってきた。

さすがに危険を察知したか、大生部は逸美の前に立って、背中で妻をかばった。

「君はなにか。暴力をふるう気か。ペテンを暴かれたからといって殴るかね」

「なにを？」

「そちらがその態度を変えんのであれば、私にも考えがあるぞ。暴力は好まんが……」

大生部は道満の背をずい、と押して福田の前に立たせた。

「道満くん、やりたまえ」

「え？　何ですか、先生」

「かまうことはない、こらしめてやりたまえ。私が許す」

「でも」

「空手をやっとったんだろう？」

「いえ、少林寺です」

「何でもいい。ここは君にまかせた。私らは逃げる」

そう言うなり、大生部は、ミラクルに肩を貸して、尊師の部屋へ向かった。片方の手で逸美の腕をつかんでいる。

逸美は引きずられながら、かつて福田が自分の殺人体験をざんげしたときの内容を必死で

のです」

「私はね。皆さん笑われるかもしれませんが、プロのレスラーになろうと本気で思っていた

思い返していた。

そう、たしか身長が足りなくて入門できなかったのだった。

「アマレスで、国体は三度、インターハイは二度出場しております」

「十六から十九まで、極真空手を学びまして……」

その結果、飯場の岩松という大男を投げ殺したのだった。

逸美は思わず叫んでいた。

「道満くんも逃げてっ」

道満も逃げたいのはやまやまなのだが、ときすでに遅かった。福田はもう間合いの中にはいってきていた。

半身の構えで少しずつ間合いを詰めてくる。

そうして半身になると、福田の胸板のあたりが異様に分厚く、ぱんぱんに張り切っているのがよくわかった。

その時点では道満には、福田の格闘歴がどういうものであるのか見当がつかなかった。

体つきはレスリング選手のそれに近い。〝引く〟筋肉が異常に発達しているようだ。ただ正中線をガードした構えや、後ろ足に重心を乗せた立ち方は打撃系格闘技のものだ。

道満は三段である。大学時代ほど熱心ではないが、今でも週に二回は道場に通って後輩にけいこをつけている。

ただ、血の気の多いほうではないので、街で喧嘩《けんか》をしたというのは記憶になかった。せいぜいが酔っ払いの喧嘩を止めてやったくらいのことである。まして、他の格闘技経験者とストリートファイトをしたことなどない。腕に自信はあるのだが、それがどの程度通用するものなのか。防具なしの生身の人体を突いたり蹴《け》ったりしたことはなかった。

〝猫足立ち待気構え〟で守勢をとる。

福田の腰に気がはいった。

ぶん、とにぶい音がして回し蹴りが飛んできた。重そうな蹴りだがそう速くはない。見切ることができた。

「案外荒いな」

金的が一瞬がら空きになったのを道満は見のがさなかった。

「次の攻撃がきたら〝対の先〟で倒せるかもしれない」

〝対の先〟は少林寺特有の概念である。

相手の攻撃意図を読んで、敵がアクションを起こす前に制するのが〝先の先〟。アクションと同時にこちらも動作して封ずるのが〝対の先〟。敵の技をさばいて体を崩して制するのを〝後の先〟という。

福田は体勢を正すと同時に正拳を打ち込んできた。やはり重いが速くはないパンチだった。

これをかわすと、道満は福田の腹めがけて流水蹴りを叩き込んだ。少林寺拳法では「流水蹴りに始まり流水蹴りに終わる」と言われるほど、基本にして重要な蹴りである。

防具をつけていない相手にこれを叩き込むのは初めてのことだった。道満クラスの人間に

蹴られると、普通の人間ならばその場で悶絶《もんぜつ》するはずだ。ヘタをすると内臓破裂を起こすかもしれない。

しかし、幸か不幸か、福田は普通の人間ではなかった。

蹴った瞬間、ゴムのかたまりでも蹴ったような感触があった。かちかちに固いというのではない。固さの中に強じんな弾力があって蹴った力をはね返してきた。

一瞬、福田が笑ったように道満には思えた。

「ちくしょう。さっぱり効かねえや」

ここであわてては自滅だ、と自分に言い聞かせる。しかし、心の中で恐怖が段々と形をなしてくるのはどうしようもなかった。

二回目の回し蹴りがきた。

今度こそ待ってはいられない。

道満の足甲が福田の金的に向かって飛んだ。

その足甲が福田の右手でキャッチされた。

福田は回転する体の遠心力を利用して、道満を足首から振って倒した。

すかさずがっちりと足首が極《き》められる。

「フェイントだったのか」

福田はわざとスキを見せて、道満の体をキャッチする瞬間を待っていたのである。

足首が逆方向にねじ上げられる。

「ヒール・ホールドとかいう奴だ。こいつ、何なんだいったい」

激痛が襲ってきた。

道満は痛さに耐えかねて、床の上を二転三転する。いつの間にか、尊師の部屋の畳の上を転がっていた。

福田はそれに合わせて反転しながらも、決して足首を離さない。

腱《けん》が伸び切って、もうすぐ切れるのが自分でわかった。骨はぎしぎしといやな音をたてている。


道満の手に何かが当たった。

冷たい棒のようなものだった。

尊師が磨きかけのまま放り出していったゴルフクラブだ。

「開祖さま、ごめんなさい」

少林寺拳法の開祖の白いヒゲを思いつつ、道満はクラブを振りかぶって、思いきり福田の肩口に叩きつけた。


カチリと涼しい音でグラスが合わされた。

大生部とミラクルはホテルの静かなバーのとまり木に腰をおろしている。

あれから四日後の夕方である。

「逸美さんは落ち着きましたか」

「そりゃもう気味が悪いくらいでね。今日も息子と一緒に家の大掃除しとる。もとに戻ってくれたのはいいが、口やかましくっていかん」

「道満くんの具合はどうですか」

「うん。まだ片足を引きずっとるがね。あいつぁ大げさでいかん。あんなものは唾《つば》つけとけばなおりますよ」

「他人事《ひとごと》だと思って。しかし、あのときはみごとな逃げっぷりでしたな」

「若いもんが年よりや女子供のために楯《たて》になるのは当然のことでしょうが」

「道満くん、恨んどるでしょう」

「いや。それほど柔《やわ》な師弟関係ではないですから。それより、実戦というやつを初めてやってみて驚いているみたいですな。道場でのシミュレーションしか知らなかったからね、彼は」

「ずいぶん違うもんなんでしょうな」

「そうでしょうな。私ら、女房に手をあげたこともない人間だから、喧嘩のことはよくわからんが」

「私だってそうですよ。帽子から鳩《はと》を出すような平和主義者ですから」

「なんにしても、私らおじさんにとっては、なかなかの大冒険でしたな」

「そう〝一件落着〟みたいに語ってしまっていいもんだろうか」

「というと？」

「あの会のインチキを告発せんのですか」

「いや、私は女房さえ返してくれればいいんであって、そこまでは考えとらんですよ」

「他の信者のことはどうします。あるいは、これから先、だまされる人間たちのことは。新

興宗教というのはね、あの程度の規模から先がこわいんです。幾何級数的に大きくなっていく」

「しかし、告発するにしても、我々の目撃談だけが証拠でしょう。写真でも撮っときゃよかったな」

「写真ならありますよ」

ミラクルは、胸ポケットからDPEの袋を取り出した。中から四枚ほどの紙焼きが出てくる。いずれも例の「マスクリン式空中浮揚機」を撮ったものだった。

大生部は目を丸くした。

「あんた、こんなものいつ撮ったんだ」

ミラクルは頭をかく。

「や、実は私もあの日、恥ずかしながらすっかりスパイ気分になってましてな。こういうものを……」

奇術師は照れ臭そうにベルトのバックルを指さした。大きめのバックルの中央にファインダーがのぞいていた。

「ほう。それもやっぱりマジシャン用の道具ですか?」

「なに、通信販売で買ったんですよ」

大生部は、写真をもう一度眺めた。

「うむ。写ってることは写ってるが、ずいぶんブレてますな」

先ほどから二人に並んでスツールにいた初老の男が、このとき口をはさんできた。

小肥《こぶと》りでてらてらした顔の男だった。

夜が浅いので、バーのとまり木はがら空きである。それなのにこの男はわざわざ二人の横に席を取って、さっきからジンソーダをなめていた。大生部もミラクルも、なんとはなしにこの男に違和感を覚え始めていたところだった。

「まことにぶしつけやが、その写真、ちょっと私にも見せてもらえんでしょうか」

男は、まるまっちい太い指で写真をさして話しかけてきた。

大生部とミラクルは顔を見合わせた。

「いや、お見せしてもよろしいが、たぶん何が何だかわけのわからん写真ですよ。それでもよろしいかな」

「けっこうけっこう。ぜひ拝見したい」

男は嬉しそうに写真を手にとると、一枚ずつていねいに眺め始めた。

「ふん、ふん。なるほど、ピンボケですなあ」

見終わると、男はその紙焼きをいきなり引きちぎって床に捨てた。

ミラクルが叫んだ。

「あんた、何をするんだ」

男はふてぶてしく笑うと言った。

「こんなもん、なんぼ破いても、そっちにはネガがあるでしょうが」

ミラクルは呆然として男の顔を見つめていたが、一瞬はっとした表情になった。

「あんた……」

たなあ」

「ええ、私が、沢井心玉です」

心玉尊師は、ねっとりと二人の顔を眺め渡した。

「大生部教授にミラクルさんですな。このたびはうちの福田導心がえらいお世話になりまし

「何が言いたいんだね」

心玉尊師は、バーテンを呼んでジンのおかわりを注文した。

「まあ、ま、駆けつけ三杯いうから、話はゆっくり飲みながらしましょうや。大生部先生の居場所探すのにてんてこ舞いしたよってに、喉《のど》が渇いてますのんや」

尊師は新しく運ばれたグラスの表面にしっとりと浮き出た汗を、指で楽しむようになぞった。

「福田はなあ、かわいそうに、酒も飲まれへん。おたくの助手にゴルフクラブで殴られて、肩の骨折れたいうて、いま病院でうんうん唸《うな》ってますねんで」

大生部が〃肛門《こうもん》唇《くちびる》〃をとがらせて反論する。

「そんなもんは喧嘩両成敗だ」

尊師は鼻で笑った。

「いけしゃあしゃあと。どの口が言うてますのや」

尊師はグラスの中のチェリーをスティックでつつきながら、とぼけた口調で続けた。

「それになあ。おたくらのやったことなあ。あれ、〃家宅侵入罪〃ちゅう奴と違いますのか。家宅侵入に器物破損に暴行傷害や。大学教授のやることかいな。ヤクザやがな、これやった

ら」

「じゃ、あんたのやってることは何なんだね。立派な詐欺じゃないのかね」

ミラクルの語気は強い。

「さあ、どうやろう。裁判に持ち込んだら、どないなるやろうなあ」

ミラクルは詰まった。自分たちの違法行為は明らかだが、聖気の会の詐欺を立証するのは法律的にはむずかしいだろう。

「ただなあ、あんたらはようテレビに出てはる文化人にタレントやし、言論っちゅうもんがあるがな。私ら庶民は言われたら言われっ放しや」

「どこが〝庶民〟だ」

「そやから、大人気《おとなげ》ない話はやめて、この件はお互い、チャラにしまひょうな」

「チャラ？　チャラとは何だ」

「うちのほうも、今度のことはなかったことにする。そのかわり、そっちも、うちのことに関しては一切言及せえへんっちゅう、念書でも入れてもらおか。それから、この写真のネガはもちろん返してもらいましょ」

大生部は、このいかさま師のねっとりした物言いに、生理的な嫌悪を感じていた。こんな下衆《げす》な人間に逸美がだまされていたのかと思うと、怒りが倍加した。

「そんなことは断じてできん。訴えるなら訴えたまえ。出るところに出て釈明しようではないか。我々がなぜあんたの所に潜入せねばならなかったのか。潜入した結果、何を発見したのかをな」

尊師の目に憎悪の光がともった。

「そうか。あんたらがそういう心算なれば仕方がない。出るとこへ出てもらいましょうかな。ただ、これだけは覚悟しなさいよ。裁判なんちゅうものは、これは人の法や。世の中というのは、人の法で動いとるのやない。天の理法で動かされとるのや」

「何だ。何が言いたいのかね」

「わしのような神《かん》さんと近しい人間にさかろうて、神罰のあたらんように、せいぜい気ぃつけるこっちゃな」

「この期《ご》に及んで、まだそんな寝言を言う気かね」

「さあ、寝言やろうか」

尊師は大生部をにらんだ。口元には笑みが浮かんでいた。

「神罰っちゅうのは何もあんた本人にふりかかるとは限らへん」

「何だと？」

「愛《いと》しい妻や子たちに災難がかかる。そんなこともあるかもしれんから、まあせいぜい気ぃつけなはれ、と、こう言うてますのや」

大生部とミラクルの顔が青ざめた。

組員風の男三人が大生部の家のチャイムを押したのは、ちょうどホテルのバーでミラクルと大生部が最初の乾杯をしていた頃だった。

逸美は、ドアチェーンをつけたまま扉を細目に開いた。

凶悪な人相の男が三人、薄笑いを浮かべて立っている。不吉な予感がした。

「どなた？」

三人の中ではやや年長の猪首《いくび》の男が、顔に似合わぬ疳高《かんだか》い声で言った。

「奥さんですね。実は至急ご同道願いたいんですが。息子の納くんとご一緒にね」

「どういうことですか」

「いや、ご主人の大生部さんが、ちょっと厄介《やっかい》なことになりましてね。道々詳しい話はいたしますので」

「あなた方は？」

「それも道々、お話しします」

逸美は危機を直感した。

大生部の身に何かあったのなら、警察にせよ病気にせよ、まず電話がかかってくるはずだ。人相の悪い男が三人も直接押しかけてくるわけがない。

「ちょっと待ってください、大生部の居場所はわかってますから、ホテルに確認してみます」

逸美はドアを閉めようとした。

それより先に、男の膝がドアのすき間にはいっていた。

「何するの」

後ろ側にいた男が、ばかでかいペンチを出すとドアのすき間に突っ込んだ。ドアチェーンは粘土でも切るように鮮やかな切り口を見せて両断された。

男三人はそのまま逸美を押し返すようにして家の中に乱入した。

居間では納が掃除機をかけていた。その音で、外の騒ぎが聞こえなかったようだ。一瞬きょとんとして、雪崩《なだ》れこむ男たちを眺めている。

「納、逃げなさい」

逸美が金切り声をあげた。それでもまだ納には事情が呑《の》み込めないらしい。

でかいペンチを持った男は、最初に居間の電話機に駆け寄ると、コードを切断した。

それを見て納は初めて尋常でない事態を悟ったようだ。逸美のそばに駆け寄った。ただし、納は母親の後ろに隠れるのではなく、前に立った。

男たちはニタニタ笑ってこれを眺めている。

「ほう。坊や、男らしいじゃないか。中学生か？」

「そうそう。男はそうでないといかんで。もうチンポむけとるのか、え？」

野卑な口調でからかいながらも男たちはじりじりと包囲をせばめてくる。

「奥さん。何かしようってんじゃないんだ。ほんの二、三日、わしらと一緒におってくれればいいんで。ね」

「変に抵抗すると、あんたはいいけど、息子にケガさせることになるよお？」

逸美の頭の中は急回転していた。

大声を出そうか。

しかし、大生部家の夫婦喧嘩は近所でもちょっと有名だ。ついこの前も皿やコップが飛ぶ大一番を演じたばかりだ。近所の人が取りあってくれる可能性は少い。

とにかくなんとかして時間をかせいで、納だけでも裏口から逃がさねばならない。

「納、台所へ！」

逸美と納は、身をひるがえすと居間から台所へ走った。男たちがすかさず後に続く。

ガス台の上のポットで湯が沸いていた。

逸美は迷わずそのポットをとると、台所にはいりかけていた男たちに投げつけた。

ただ、力まかせに投げたために、ポットは空中で回転して、湯のほとんどが途中でこぼれてしまった。男たちにかかった熱湯は、しずく程度だった。

「危ないなあ、奥さん」

男たちは笑っている。

「納、裏口から逃げて。早く」

裏口は台所のガス台の横にある。ここにもドアチェーンがかかっている。

納がそのドアに走り寄った。

同時に三人のうちの一人がすっと離れて消えた。玄関から裏口へ走ったのだ。

「納、早くっ」

「ドアチェーンが、はずれないんだよお」

「あわてちゃだめ、落ち着いて」

その間にも二人の男がにじり寄ってくる。

逸美は大ぶりの洋皿を取ると、それを天井に向けて思いきり投げつけた。

皿は天井の蛍光灯に当たって、両方が砕け散った。

天井からガラス片の雨が大量に降ってきた。

男二人は一瞬ひるむ。

その間に逸美は出刃包丁を取って片手に握った。

「納、まだ？」

納は懸命にドアチェーンをはずそうとしている。

逸美は空いているほうの手で次々と皿を天井へ投げた。そのたびに鋭い破片の雨が降るので男たちは足踏みしている。

カチャリ。チェーンがはずれた。

「母さん、早くっ」

叫んでドアを開いた納は棒立ちになった。

裏口へまわった男の一人が、すでにそこに立っていた。男はわけなく納の体を捕えると後ろ手に腕をひねり上げた。

「奥さん。包丁捨てな。坊主の腕、折っちまうぞ」

振り返った逸美は、絶望に襲われた。

納が腕をねじり上げられている。

裏口にまわった男は猿顔をシワだらけにして笑っている。

おまけに、その後ろに四人目の男が現われた。

それも雲つくような大男だ。手前にいる猿顔よりも確実に頭ひとつぶん背が高かった。おまけにがっちりとした体つきで、首筋のあたりの筋肉が瘤《こぶ》のように盛り上がっている。

逸美の包丁を握る手から力が抜けた。

そのとき、ガラスにヒビがはいったようなピシッという音が後方で鳴った。

逸美が再び振り返る。

猿顔が両腕をだらりとたらし、ゆっくりくずおれていくところだった。

大男が猿顔の両方の首筋に手刀《てがたな》を打ち込んだのである。

大男は倒れようとする猿顔の襟首《えりくび》をつかんで立たせると、台所の中へはいってくるなり、ガス台の角の部分に男の横っ面を思いきり叩きつけた。猿顔の頬骨《ほおぼね》の部分にはっきりと角の型の凹みができた。

大男は猿顔の背をなおも蹴りとばして、床一面のガラスの海の中へ突っ込ませた。猿顔は最初の手刀から失神しているのか、ウンともスンとも言わない。

残った男二人は呆然としていたが、すぐに我に返った。二人ほぼ同時に胸元に手を突っ込んだ。

「何だおまえは」

大男は笑った。

「おまえらこそ何だ。おれはテレビ局の人間で馬飼というもんだ。ここの先生には番組でお世話んなってる」

逸美は馬飼とは初対面である。名前は大生部から何度か聞いていた。局のプロデューサーにプロレスラーみたいにでかいのがいる、といった茶飲み話でだった。

馬飼は逸美を見て笑った。眉《まゆ》が薄いので、笑うと余計に妖気《ようき》漂う顔になる。

「すいません奥さん。初めてお宅へ伺うのにアポイントメントも取らずに。ロケハンの途中でお宅を見つけたもので」

嘘《うそ》である。アポなしで急襲するのが馬飼の昔からの主義なのだった。

「しかし、この連中も、アポなしで来たようですな」

床一面のガラスの海をはさんで、馬飼と二人の男はにらみ合っている。男たちは胸元に突っ込んだ手をなかなか抜こうとしない。威嚇《いかく》のためでもあるし、武器が何かを悟らせないためでもある。

馬飼は片頬をゆがめて笑った。

「何だおまえら、ナポレオンか。胸に手え突っ込んで。ピストル持ってんならとっくに見せびらかしてるだろうに。かわいそうに、拳銃《チャカ》も持たせてもらえねえのか。どこの組《もん》だおまえら」

言いながら、馬飼は床のガラスの海へ踏み込んだ。ザリザリと音がして、その巨体が男たちに近づいていく。ガラスの砕ける音は間断なく続く。それは馬飼が摺《す》り足で接近しているためだ。

猪首の男と、先ほどペンチを持っていた男は、同時に内ふところから手を引き抜いた。

猪首の手には匕首《あいくち》が光った。ペンチ男の武器はメリケンサックだった。

馬飼はメリケンサックを見て、笑いながら言った。

「なつかしいもの持ってるな、兄さん。え？　ちょっと見せてみろよ」

馬飼が、右側にいるペンチ男に体を傾けた。左の脇腹ががら空きになる。そこへ猪首がド

スを腰だめにして突っ込んだ。

馬飼の右足が、床のガラス片を内払いにすくってはねた。細かい破片は正確に猪首の顔面を襲った。一瞬視野を失った猪首は、そのままの勢いで突進してくる。素早く重心を右足に移した馬飼の左足が、猪首の手首を下から跳ね上げた。ドスは手を離れて、キッチンの換気扇に一度当たり、ガス台の上に落ちた。床の上に逸美としゃがみ込んでいた納が、すばやくそれを取り込む。

馬飼は宙を泳いでいる状態の猪首の膝の内側へ直蹴りを一発入れた。猪首が一瞬がに股《また》になる。その股間《こかん》へ伸びのいい蹴りがはいる。一瞬、猪首の体全体が二十センチほど宙に浮くくらいの蹴りだった。猪首はゆっくりと前に倒れかかった。その白っぽいスラックスの股のあたりが見る見るうちに血に染まっていく。陰のうが破裂して、こう丸が飛び出した状態になっているのだ。馬飼はそう判断しながら三人目の敵、メリケンサックのペンチ男に向かっていった。

ペンチ男には、すでに戦意というものがなかった。

ひたすら出口、玄関へ後ずさりしながら、鋼鉄製のメリケンサックで威嚇のジャブをくり返している。もちろんすべて空振りだし、当てる意志もない。逃げたい一心なのである。

そんなジャブのひとつを、馬飼は無造作につかんだ。そのまま、ひょいと引き寄せ、カウンターで頭突きを打ち込んだ。身長差は二十センチ以上ある。急所である頭頂部に、岩を落とすような頭突きがはいった。

ペンチ男は一瞬で意識を失った。そのまま前に倒れるところを、馬飼はまた襟をつかんで

引き起こす。

「もう、いいでしょ。やめて」

逸美が叫んだ。

馬飼は、ペンチ男の両胸に後ろから腕をまわすと抱え上げ、直角に立てた自分の膝の上に相手の無防備な股間を叩きつけた。

ペンチ男は、下から圧《お》されたポンプのように胃液を噴き上げた。

逸美も、納も、さすがに目をそむけた。

さっき大掃除が終わりかけたばかりの大生部宅は、掃除前のほうが天国に見えるような惨状を呈していた。

床一面に血糊《ちのり》や胃液が飛び散り、その中で無数のガラス片や陶器片が濡れ光っている。その上に、三人の男が血反吐《ちへど》を吐いて横たわっていた。

「なにも……こんなにしなくても……」

逸美は吐き気を抑えてつぶやいた。

馬飼は薄く笑った。

「闘いってのはこういうものなんですよ。とことんやっつけないと、相手はまた襲ってきます。ほら、こいつみたいにですよ」

馬飼は、台所の床にうつ伏せになっていた猿顔の頭を、横からサッカーボールのように力一杯蹴った。

「でえっ！」

という妙な気息が猿顔の口からもれた。この男の手には、いつの間にか、さっき逸美が床に捨てた出刃包丁が握られていた。意識を取り戻して反撃の機会を窺《うかが》っていたようだ。

「奥さんには、そんなことわかる必要はないかもしれない。しかし、君は……」

馬飼は納のほうを見て言った。

「何ていうんだ、名は」

「納です」

「納くん。君はこういうことは覚えておかんといかん。そうでないと、困るぞ。アフリカでは……」

「アフリカ？」

納は馬飼の目を見上げた。

「アフリカへ行くんですか、僕たち」

「それじゃ話にも何にもならんですよ」

馬飼は呆れ顔で大生部の顔を眺めた。

局のスタッフ一同の注視を浴びて、大生部は居心地悪そうに足を組み替えた。

局のミーティング・ルームである。

「どうしても、私も行かんといけないかね」

いい調子でアフリカ特番の打ち合わせが進んでいるところで、三十分もたってから大生部は〝自分はアフリカへ行きたくない〟と言い出したのだ。

「監修とか、そういうことではだめなんだろうか」

「冗談じゃないですよ」

　馬飼は、企画書の表紙をぱんと手で叩いて言った。

「このタイトルを見てくださいよ。〞大生部ファミリーのアドベンチャー〟。これで制作局長のハンコをもらって四千万の予算を引っ張ってきたんだ。肝心の先生がスッポ抜けてどうするんですか」

「いや。たしかにありがたい話ではあるんだ。大学が組んでくれない予算をテレビ局が出してくれるんだからな。これでケニアまで行けるうえに、三、四人の人間一年くらいの滞在費は捻出《ねんしゅつ》できる。二次調査は私の長年の夢でしたよ。しかしね」

　大生部はズボンからワイシャツのすそを引っ張り出して、それで眼鏡を拭《ふ》いた。

「私は、タレント教授で金をかせいで、調査予算をつくるまでが自分の役目だと思っとる。研究調査自体は道満くんをはじめ、若い連中に道を譲ろうと思っとったんだ。いまさら老生の出る幕ではあるまい」

「だったらそうすればいいじゃないですか」

「え？」

「アフリカでの撮りが終わったら、道満くんたちを残して先生は帰ってこられたらいいではないですか。学者さんたちがその後、一年いようと十年いようと、我々テレビ局は関係ないんですから。往復の費用と一定のギャラおよび研究協力費を局は出すだけです」

　大生部は不審そうだった。

「しかし、十年も追跡取材でカメラ持ってうろうろするわけには」

「人の話を何にも聞いてない人だなあ」

馬飼は天をあおいだ。それからかたわらの水野ディレクターに、

「水野くん。君からもう一回よおく説明してやってくれんか。大教授に」

水野は苦笑いしながら、企画書の中にある日程表を示した。

「いいですか、先生。番組制作と、先生がたのフィールドワークとは別のものなんです。番組の撮影自体には三週間の日程しかとっていません。我々、全員そこで引き揚げるわけです」

「全員引き揚げる？　全員引き揚げては現地調査ができんではないか」

水野は机の上に突っ伏した。

「だからですね、全員というのは我々番組スタッフのことで」

「私ら一家はどうするんだね」

「だから、それはお好きになさったらと申し上げてるわけでして」

大生部は、きれいに拭いた眼鏡をかけて、きりっと水野を見た。

「なるほど。だいたいのことはわかった。ではこうしよう。道満くんを残して私ら一家は日本へ帰る。それと入れ替わりに、うちの研究室の若手を向こうへ行かせる。道満くんはその間に現地での住居とか、必要手続きの手配とかをすませておく。これでどうだ」

水野は、なかば諦《あきら》めた口調で言った。

「はいはい。そうですね。それがよろしいですね」

「つまり、番組は、うちの大学のフィールドワークのドキュメントとはまったく別のものなんだね」

「そうです」

「それに対して支払われるギャラと、局持ちの渡航券で、そちらは研究をなすったら。と、こう君がたは言うとるわけだ」

「そういうことです」

「その企画書がこれなんだな。ははあ、そういうことか」

大生部は満足そうに企画書を取り上げて読み始めた。馬飼と水野は顔を見合わせてため息をついた。

「しかし、このタイトルはどうもなあ」

大生部の濃い眉毛《まゆげ》が曇った。

「いけませんか？」

「〝呪術《じゅじゅつ》大陸アフリカ――大生部ファミリーのアドベンチャー〟か。〝呪術大陸〟というのがどうもひっかかる。昔はよく〝暗黒大陸〟という言い方をしたが。むりやりに未開のイメージを押しつけようとしとるようでな。いただけない」

水野は不満顔だ。

「これでもずいぶんおさえたんですがねえ。以前に馬飼からニカウさんの話やポコト族の特番の話を聞かされましたんで」

「ポコト族？　ああ、日本のテレビ局が呼んで原始人扱いしたもんで、ケニアのモイ大統領

を怒らせた一件だね」

「だから、ずいぶん気は使ってるんですが」

大生部は次の頁をめくって言った。

「気を使ってこれかね。〝白目をむく悪魔憑《つ》きの少女〟〝戦慄《せんりつ》の悪魔祓い〟〝生きたまま羊を焼き殺す恐怖の占い〟〝鶏の腹を裂く血まみれ呪術医〟……これが気を使った表現かね」

「いや、しかし、言ってる内容にまちがいはないでしょう？　全部、先生の本を参考にしてピックアップしたんですから」

「〝危機！　襲いかかるライオンの群れ〟。これもかね。私はこんなこと本に書いとらんぞ」

「それはまあ。シマウマをライオンが襲う、てなことで……」

「それにねえ、馬飼さん」

大生部の目が馬飼の巨体へと転じた。

「あなた、女房や息子を救ってくれたことには礼を言うが。それは、いくら礼を言っても足りないくらいだが。私がまだ何も言っとらんのに、納にアフリカへ行く、なんて言ってもらっては困るんだよ。息子はもうすっかりその気になってしまっとるじゃないか」

馬飼は苦笑いした。

「その点は謝ります。先生は、ご家族を連れていかれるのには反対ですか」

「必ずしもそうではない。特に納にはな、何十万頭というヌー（ウシカモシカ）の群れが、セレンゲティの河を渡るところを見せてやりたいな。ナクル湖のフラミンゴもな。湖全体がピンク色なんだよ。フラミンゴだ。二百万羽もいるんだ」

大生部は遠い目をした。

「とてつもなく広い世界に一度放り込んでやらんとな」

「そうでしょう」

馬飼はうなずいた。立ち上がって部屋の隅のホワイトボードに向かう。中央に大きく、

「家族」と書いた。

「今回の特番のテーマは、家族愛だと私は思ってます。まったく文化の違う国へ、ぽんと置かれた中での家族の紐帯《ちゅうたい》っていいますか。それがテーマです。そうでないと、ただのセンセーショナリズムの猟奇番組になってしまう。異文化の象徴として呪術が取り上げられないと」

「そりゃ、その通りだ」

大生部は大きくうなずいた。興が乗ってきたのか、ふところからポケットウィスキーを出してぐびりとやった。

「本音を言いますとね」

馬飼は薄く笑った。

「ただのセンセーショナリズムでは、もう視聴率はとれないんですよ。呪術だけではオカルトファンしか寄ってこない。主婦層を引っ張り込むためにも家族っていう要素は不可欠なんです」

「なんだ。感心して損をした」

「ですから、教授には申し訳ないが、今回の主役は納くんなんです」

「納が主役なのか」

「そうです。カルチャー・ショックの中で一人の少年がどう成長していくのか。アフリカ体験は納くんにとっての通過儀礼《イニシエイション》になるわけですな。それに……」

馬飼は一瞬言葉を選んでいる風だった。

「テレビ屋としてのこれは直感ですがね。納くんは、いけますよ」

「いける？　何がいけるんだね」

「タレントとしていけるってことです。可愛《かわい》い子じゃないですか」

「私に似たのだ」

室内のスタッフ一同が、うっと息を詰めて笑いをこらえた。

「いわゆる、置きものみたいな美少年じゃなくて、納くんは表情が生きてる。表情がよく語りかけます。テレビ受けのいい素材なんですよ」

「テレビ屋ってのはこわいもんだな。私はあれをタレントにする気なんかないからな」

「わかってますよ。それはそうと、余談だが……」

馬飼は傍のボックスから新聞を取った。

「夕刊、ご覧になりましたか」

「いや」

「沢井心玉が逮捕されましたよ」

「ほんとかね」

三面に、半二段ほどの記事があった。心玉尊師と福田導心の顔写真がのっている。「新興

宗教教祖、暴力団使い誘拐教唆《ゆうかいきょうさ》」と見出しがついていた。

「あのヤクザ連中が背後関係を自白したんだな。最近のヤクザも根性のない……」

楽しそうに大生部は記事を読んでいる。

「おそらく私たちのところにも事情聴取が二、三日中に来ますよ」

「ほんとかね。こりゃ、早目にアフリカへとんずらしたほうがいいんじゃないか」

「そうはいきませんよ。ゴタゴタは片づけてから行きましょうや。そのくらいの時間はある」

「出発はいつかね」

水野が立って、ボードに日程表を貼りつけた。

「私は五日ほど先に発《た》ってロケハンをしますが、先生たち本隊のほうの出発は五週間後になります。撮影スタッフはカメラ、照明、音響、Ｄｒ（ディレクター）、全部で五名です。出演者五名も同じ便です」

「五人？　私と女房と子供と道満くんで、四人じゃないのかね」

「あ。申し遅れましたが、これに清川慎二くんが加わりますので」

「清川？　清川っていうと、あの超能力青年の彼かね」

「ええ、そうです」

馬飼が口をはさんだ。

「どうしても呪術ってことになるとね、オカルト的側面から見る人間が要るわけですよ」

大生部は渋い顔だ。

「あの若造かあ。ミスター・ミラクルじゃだめなのかね。私は彼となら気が合うんだが」

「呪術師相手に手品あばきでもないでしょう。やっぱりここは清川くんがはまり役ですよ」

「二人とも連れていくわけにいかんのか」

「長丁場ですからね。二十日間、ずっとこの前みたいに喧嘩ばっかりされても困る」

大生部は渋々うなずいた。

水野が説明を続ける。

「空路、カラチ経由でケニアにはいっていただきます。ナイロビで、待機してます私と合流。現地人ガイドもナイロビで雇っておきます。そこからは先生のほうがお詳しいでしょう」

「うむ。地図はあるかね」

水野が拡大コピーしたケニアの地図をボードに貼った。

「前回調査したエリアはこのあたりだ」

大生部は地図の上に一ヶ所、丸印をつけた。

「ナイロビからずっと北上していって、このでかいのがヴィクトリア湖だ。世界で二番目に大きな淡水湖だ」

「琵琶湖《びわこ》より大きいんですか」

スタッフの中の一人が質問した。若い構成作家だ。

大生部は眼鏡をずらし、フレーム越しにその男の顔に目をむいた。

「九州がすっぽりはいるくらいの面積がある」

構成作家は目を見開いた。

「このヴィクトリア湖畔から、ウガンダとケニアの国境沿いにずっと北上していく。カカメガからキタレを通って。このあたりだ。この辺が私の調査したロケーションだ」

「ナイロビから何キロくらいですか」

「六、七百キロってとこだろうかね。悪路も多いから、車で三日はみておいたほうがいいだろう。それと……」

一同は、学校の生徒のようにおとなしく聞いている。大生部は少し得意になって続けた。

「この国境沿いに進むんだが、ウガンダは治安が悪い。私が行った頃はそうでもなかったんだがね。最近はウガンダ北部からケニアのほうまで、国境を越えて山賊《さんぞく》が出没しているらしい。元アミンの軍だったのが野盗化しとるんだ」

「山賊……ですか」

「うん。ま、やたら射《う》ってきはせんと思うがね。その辺のことは馬飼くんにおまかせだ」

「私はケニアには行きませんよ」

馬飼が不思議そうに言った。

「なに？　あんたは行かんのか」

「ええ。私はプロデューサーですから。企画を通して金を引っ張ってくるまでが私の仕事で。あとは水野にまかせて口は出しません。日本で次の仕事にかかりますから」

大生部は、水野のひょろりとした体と馬飼の巨体とを交互に見て心細そうに、

「そうか……」と言った。

「ふうん。とうとう念願かなって憧《あこが》れの地を踏みしめるってわけか」

回転椅子を反転させた秋山ルイが、煙るような目で道満を見た。

「どれくらい行ってるの？」

白衣の下は、相変わらずの窮屈そうなタイトスカートだ。流れるような曲線を描いて長い脚がこぼれている。道満は目のやり場に困った。

「大生部教授はテレビの撮りがすんだら帰られますが、自分はそのまま残って調査を続けますので」

「ちょっとあなた、〝自分は〟なんて言い方やめなさいよ。自衛隊じゃないんだから」

「はあ、すみません」

「で、ボクは？　どのくらい行ってるの？」

「僕は……たぶん半年くらいで一度帰ってくると思います」

「いいわねえ、ケニア。あたしも一度行ったわ。フランスのユング研究所にいるとき。バカンスでピエールと」

「ピエール……ですか」

「そう、ピエールよ。マサイマラのキーコロック・ロッジ。サヴァンナの中の人工楽園だわ。ジャカランダの花が咲き乱れて、夕方になるとドグエラ狒狒《ヒヒ》が私たちのロッジを覗《のぞ》きにくるのよ」

「はあ」

「夜になると、野獣の声が遠くから聞こえるのよ。そして私たちはシーツの中で抱き合うの。

獣のように」

「はあ」

秋山ルイの目が濡れ濡れと光ってきた。

「ピエール。……あんな男、マサイマラのシンバ（ライオン）に喰《く》われて死んじまえばよかったのよ」

「え？」

「ホモだったのよ、ピエール。人に旅行代払わせといて、それはないと思わない？　詐欺よ。そうと知ってたら一人でマサイマラへ行って、マサイ族のマラで楽しんだのに」

秋山ルイは、道満の膝に手を置いて、その顔を覗き込んだ。

「どうだった、いまのシャレ」

「はい」

「ちょっと下品だった？」

「〝ちょっと〟じゃないと思います」

「あら、ごめんあそあせ。でも、ナイロビの夜は素敵だったわよ。男引っかけまくってやったわ。もう十年も前の話だけど」

「お元気だったんですね」

「いまでも元気よ。でも、道満くん。あなたナイロビで遊んじゃだめよ。いま、エイズがすごいんだから。最新の情報によると、性行為可能年齢層の三分の一がエイズキャリアらしいよ」

「遊びませんよ」

「ケニアにも多いのよ、売春婦。〝マラヤ〟っていうのよ、彼女たちのことを」

「また、変なシャレ言うんじゃないでしょうね」

「同じ手は使わないわよ。でね、女の子のあそこのことは〝クマモト〟っていうの」

「そんなスワヒリ語しか覚えてないんですね」

「あ、そうか。道満くんはできるんだ、スワヒリ語」

「この日のために、もう四年もやってますからね。そのほかにキクユ語とテソ語とルオー語もカタコトくらいなら」

「実地で使えるかどうかよね。私なんか中三で〝カーマスートラ〟読んだけど、やっぱり実地では役に立たなかったわ」

「ほんとに秋山先生って、根っからなんですね」

「そう。根っからよ」

道満は、赤くなったり青くなったりしながらも、このきわどい会話を楽しんでいた。秋山ルイは自分をニンフォマニアだと言うが、このサイコセラピストと話していると、道満はいつもおおらかな気持ちに包まれる。たぶん秋山ルイは、ベッドではことのほかさっぱりした女なのではないだろうか。道満は話題に戻った。

「そうですね。部族によって言葉が違いますから、ほんとに実地では通じないかもしれないです」

「そんな奥地へ行くの？」

「奥地っていうか……。まあ、田舎も田舎、日本で言えば秘境なんとか渓谷、みたいなところですよね。クミナタトゥっていう集落を調査します」

「クミナタトゥ?」

「地図になんかもちろんのってませんよ」

「そんなとこに、道満くん一人で半年もいるの?」

「そうですね。研究室からくる学者はあと二人いますけど、別のロケーションを調査しますから」

「かわいそう」

「いえ。それがやりたかった仕事ですから」

「で、今日は私にお別れを言いにきたわけね」

秋山ルイが椅子のキャスターを滑らせて、つ、つーと寄ってきた。

「え? それもあるんですが……」

道満はあわてた。ルイの、ミントの香りのする息が道満の耳に吹きかけられた。

「嬉しいわ、道満くん」

「いえ、その……実は」

秋山ルイの細くとがった舌先が、道満の耳の穴をくすぐった。

「欲しいのに我慢してたのね。ずっと」

「あ……いえ」

「あげるわ。でも、あたしの言う通りにするのよ。いい?」

「はい」

道満は完全にエレクトしていた。

秋山ルイはそんな道満の前のチャックを静かに引きおろした。道満は顔を赤くして目を閉じている。秋山ルイは、机の上に手を伸ばすと、一枚の紙切れを取り上げ、四つに折りたたんだ。その細長い紙片を、道満の前開きの中にスッと押し込む。

妙な感触に驚いて、道満は目をあけた。

「欲しいのはそれでしょ？　処方箋《しょほうせん》」

リスのように大きな二本の前歯を見せて彼女は笑った。

「さっき、大生部のヒヒおやじから電話があったのよ。睡眠薬の処方箋を取りに行かせるからよろしくたのむって。クミナタトゥに行くと、睡眠薬でもなきゃ、なかなか寝つけないらしいわよ。バルビツール系のお薬を、普通こんなに大量に処方はしないんだけど。人数が多いんじゃね。あたしの指示通りに飲むのよ。アルコールと併飲しないこと。これは特にヒヒおやじには言っといてね。それから、逸美さん用の抗鬱剤《こううつざい》も処方しといたわ。本人には渡さずに、道満くんが逸美さんの様子をみて慎重に判断するのよ。わかった？」

道満は、股間から処方箋を取り出し、内容をあらためると、苦笑いしながら胸ポケットにしまった。

「やれやれ、またはめられちゃったな」

秋山ルイは煙草に火をつけて、艶然《えんぜん》と微笑《ほほえ》んだ。

「まだはめてないわよ」

道満は立ち上がって、オフィスのドアまで行き、振り返った。

「いっつも先生はこうなんだから」

ルイは笑って言った。

「眉毛書かれた犬みたいな、情ない顔するんじゃないわよ。男の子なんだから元気出して行ってらっしゃい。無事にケニアから帰ってきたら、そのときはほんとうにやらせたげる」

道満はドアを開きながらもう一度振り返った。

「もし、それがほんとうなら、ぼくは帰ってきますよ」

出ていこうとする道満の背中に、秋山ルイが、しっとりと甘い声を投げた。

「道満くん！」

道満は三たび振り返った。

「何ですか」

秋山ルイは道満の目を直視して言った。

「あなた、チャックがあいてる」


清川慎二は二、三度体をけいれんさせたあと、ゆっくりと石野ふるみの体から自分を抜いた。

石野ふるみは、テレビカメラの前では〝騒音〟といっていいくらいうるさい女なのだが、ベッドの中では魚のごとく無口だった。そんなふるみがときどき我慢しきれずに立てる声が、清川を妙に興奮させる。

ふるみとこうするのは、七、八回目だろうか。きっかけになったのは清川が大生部やミス

ター・ミラクルと共演した、例のテレビ番組である。そのとき司会をしていたのが、タレントの小柳風太と石野ふるみだった。

自分の超能力を、ミラクルからこてんぱんに批判された清川は、番組の収録が終わったあともまだ心のおさまりがつかなかった。

ミラクルの控え室へあわや殴り込もうというところを、小柳風太と石野ふるみが押しとどめ、そのまま飲みに連れ出したのだった。

風太とふるみはできている。それもかなり昔からの仲らしい。清川には会話のはしばしからすぐにそれが読み取れた。それもどうやら少しすきま風の吹き始めたような頃合《ころあ》いらしい。

二重三重に偽装をほどこした会話の中に、清川にはよくわからないトゲがあった。

風太はその夜正体なく泥酔し、清川とふるみがこの小肥りのタレントをかついでマンションまで送った。寝室へ風太を放り込んだあと、清川とふるみはリビングルームの床で交わった。

「まだ会ってるのかよ」

清川は暗闇《くらやみ》の中に手さぐりでさっき脱いだ下着を探しつつ尋ねた。

「何？」

「風太とまだ会ってるのか」

「ううん。でも」

「スイッチどこだっけ」

自分のブリーフを探しあぐねた清川は、電気をつけることにした。ふるみのマンションな

ので勝手もまだよく知らない。

「入り口の左側よ」

それくらい超能力で探し当てなさいよ。ふるみは喉《のど》まで出かかった言葉をおさえた。清川はすぐにカッとくるタイプだ。それもごく子供っぽい動機で自制心を失ってしまう。

ふるみは何度か清川と寝て、そのことをよく知っていた。

電灯が急についてふるみの裸身を照らし出した。滑走路のように縦長に刈り上げられた陰毛が、突出した恥丘の印象を寒いものにしている。ふるみはシーツを肩まで引っ張りあげた。

「でも、何だよ」

「え?」

「いま言ったじゃないか。風太と会ってるのか? ううん、でも……」

「ああ」

「何が〝ああ〟だよ」

「清川くんたち、三週間もアフリカ行くんでしょう?」

「ああ。やってられないよな」

「その間に、あいつ、またヨリ戻しにくると思うんだ」

「ふうん」

「そういう奴なのよ」

「そうか」

「清川くんが行ってる間に、打ち合わせで何回も会うしさ」

「打ち合わせ？」

「聞いてないの？　大生部教授たちと清川くんと、アフリカ行って妖術《ようじゅつ》使いに会うじゃない」

「妖術使いっつうか。呪術医とか占い師だって聞いたぜ」

「似たようなもんじゃない。そいで、オンエアの日はそのVTR素材をおかずにして、スタジオで全員集まって、わいわいトークするのよ。そのMCがあたしと小柳風太なの」

「あ。そういう趣向なのか。わかりた、わかりた」

「だからあ、打ち合わせにかこつけて、また寄ってくるよ、あいつ」

ブリーフをベッドの下に見つけた清川は、素早くそれをはいて、ふるみのシーツに滑り込んだ。

「ヨリが戻らないように、アフリカから念力かけてやるよ」

「ほんとに？　それ、効く？」

「どうかな。なんせ遠いもんだで」

「清川くんてさ、ほんとに超能力あるの？」

言ってしまってからふるみはギョッとした。

清川が一番激怒するようなことを、つるっと口にしてしまったのだ。しかし、清川は別に怒る風もなかった。

「どうかな」

少し考え込む。

「昔はたしかにあったんだよ。テレビとかに出る前はさ」

清川は、ブリーフから、長いけれどやや細めのペニスを引っ張り出して、自分の手でいたずらを始めた。若いペニスはほどなく勢いを取り戻した。

清川はそれを片手で握りしめて、

「曲がれっ！」

と叫んだ。

それが、もともと左に曲がっているのをふるみは知っていた。

〝この人は何に脅《おび》えているのだろう〟

清川のこめかみに流れる汗を見て、ふるみは初めて、この青年に興味を覚えた。

「えっと、次は、〝鉤虫《こうちゅう》感染〟ね。読むよ」

納は居間の床にうつ伏せになって、赤い小さな本に目を近づけた。

〝この子、少し近視が出てきたのかしら〟

逸美は納の目と本の距離の近いのが気になって仕方がない。逸美自身は極度の近視だ。ソファに深々とかけて編み棒を操っているが、コンタクトなしでは毛糸の目も読めない。大生部もひどい近視で、最近は老眼が加わって「四つ目」の遠近両用をかけている。

〝こういうのは遺伝するのかしら。だとしたらかわいそうだわ。せっかく百点満点の子なのに〟

逸美はカーペットの上でこっちを向いて腹這《はらば》いになっている納の、光の輪っかができた頭髪、ジョギングパンツからすらりと伸びた脚を見て嘆息をした。

〝眼鏡、似合わないわ。この子は〟

納が持っている赤い小冊子の表には「熱帯病の予防」と青インクのタイトル。白く抜かれた十字の上に細密画風のタッチで「ハマダラカ」が描かれている。この恐ろし気な本を、納はスリラーでも読むかのように楽しんでいる風だった。

「いい？　お母さん。〝鉤虫感染〟。いくよ。〝熱帯の多くの土地では土地住民の多くが鉤虫（十二指腸虫）に罹《かか》っています。これらのたいへん小さい（八〜十五ミリの長さ）の虫は小腸にすみついています。この寄生虫の卵は便の中に多数排出されて、落ちた土地が日陰で乾燥していなければ幼虫が孵化《ふか》し、七日か十日育った後には、もう裸足で歩く人の皮膚を貫いて体内にはいるのです〟だあってえ。予防策は、靴をはくことか。ねえ、お母さん、靴あるよね、予備の」

「ケニアにはね、〝バタバタ〟っていって、靴屋さん、いっぱいあるわよ」

逸美は涼しい顔でとりあわない。

「次の病気はもっとすごいな。〝ロアロア〟っていって、フィラリアの一種だって。犬の病気だよね、フィラリアって」

「そうね」

「〝このフィラリアのもう一つの型であるロアロアは、宿主である人間の皮下組織にすんで動きまわり〟、わっ。いやだなあ。〝さらにもう一つの型のフィラリア症、オンコセルカ症は

親虫が人の皮下組織にすんでいて、身体のいたるところに結節をつくり……ときおり幼虫が目に侵入して盲目の原因となる〞。……ねえ、お母さん」

「何？」

「すごいとこだね、アフリカって」

「そうね」

「この、虫の項だけ見たってさ、ハマダラカにツェツェバエにサシチョウバエにブヨにアブにノミ、ダニ、シラミ、ニクバエ、ヌカカ、サシバエ、ナンキンムシ。サソリにムカデにクモにヒルに。病気だって、僕たちずいぶん予防注射うったじゃない」

この一ヶ月で、大生部一家と道満は、ケニア入国に際して義務づけられている注射はだいたいうち終えた。つまり、黄熱病の注射一回と、コレラの予防接種二回である。そのほかに、逸美と納は血液検査の結果、抗体がないのがわかったので、肝炎予防のグロブリンをうった。

「でもね、このほかにもほんとは破傷風と狂犬病の注射もしとかなきゃいけなかったみたいだよ。大丈夫だろうか」

納はなかば真剣に心配し始めたようだった。

逸美は、つ、と立ち上がると片足で納の腰のくぼみを踏みつけた。

「ごちゃごちゃうるせえぞ、こわっぱ」

「げっ」

納はもがいた。

「そんなにこわいんだったら、おまえひとりで日本に残ってろ」

「いやだっ」

「なら、ごちゃごちゃ言うな」

「でも、狂犬病とか……」

逸美は踏む足に力をこめた。

げふっと納が変な声を立てる。

「やめて、晩ご飯が出ちゃうよ」

逸美はやっと踏み足をはずすと、納を抱き起こした。耳の後ろへ両手を突っ込んで、髪の毛をくしゃくしゃにかきまわしてやる。光の輪のできていた納の頭は、突っ立てたホウキのようになった。

逸美は笑いながら言う。

「あたしもね。初めてアフリカへ行く前には、お父さんに同じようなことを訊《き》いたのよ。虫はどうか、病気にならないか。マラリアは大丈夫かって。お父さん、それまでに何回となく現地の村で住み込んでるわけでしょ。向こうの人と同じもの食べて、回し飲みでお酒飲んで。そんなだから、あたしの言ってることが癇《かん》にさわったのよね、きっと。ジロッと見てものすごいこと言うのよ」

「何て言ったの？」

「〝アフリカで病気になるってことはな、これがマラリアだ、それは肝炎だって、病名がつくうちは大丈夫なんだ。何だかわからないものがたくさんあって、わからないうちに死んでいくのが多い。病気だとも呪《のろ》いだとも判じようがない。寄生虫なのか細菌なのか心因性のも

のなのかもわからない。ナイロビの国立病院のレベルでもわからないんだ。それがアフリカの病気だ。マラリアなんざ、風邪みたいなもんだ〟。そう言ったわ」

「行ってみたら、ほんとにそうだった？」

逸美は少し考え込んだ。

「そうね。そうだったかもしれない。とにかく……」

言葉が途絶えた。逸美は、アフリカで亡くしたもののことを考えていた。ハマダラカもコレラも、「あれ」に比べれば何ほどの恐ろしさでもなかった。

「〝とにかく〟……何さ」

納が言いつのる。

逸美は我に返った。

「とにかく、蚊取り線香だけは山ほど持っていきましょうね。日本のが一番効くのよ。キンチョーの夏はアフリカの夏よ」

納は、胸をどんと叩いてみせた逸美を、まぶしそうに眺めた。

「お母さん。最近、元気そうだ」

逸美は微笑んだ。

「元気にもなるわよ。でっかい子供を二人も守ってやんなきゃならないのよ。マウンテン・ゴリラとだって闘うわよ」

ミラクルは、テレビニュースで、連行される心玉尊師を眺めていた。

尊師はフラッシュの前で別に顔を隠すでもない。逆にカメラをにらみつけたりして虚勢を張っていた。

画面を通して、心玉尊師が誰をにらみつけているのか、ミラクルにはよくわかっていた。

ミラクルは、湯呑みにゆらゆらと泡盛《あわもり》を足しながら微笑した。

「もうちっと、あんたも精進して奇術の腕みがいときゃよかったんだ。フーディーニとまではいかなくても、手錠のひとつやふたつ抜くくらい、わけもなかったろうに」

どうせこいつ、実刑はまぬがれるだろう。ミラクルはそう踏んでいた。心玉尊師のような輩《やから》は恥ということを知らないだけに強い。いま頃は拘置所の中で次の手を考えているだろう。さしずめ、宗教上の敵の仕掛けた卑劣な策略にはめられた、というところか。宗教上の法難というわけだ。

こうなると、情報量の勝負だ、とミラクルは考えていた。

聖気の会を根絶やしにするまで、追撃の手をゆるめる気はない。

事件以来、テレビ局からミラクルへの出演依頼が殺到していた。週刊誌の取材もひっきりなしだ。心玉尊師との勝負はもうすでについていた。

これを機に、ミラクルはもっと大きな勝負をかけるつもりでいた。超常現象、奇跡を目玉にしてのし上がってきた巨大宗教は数えきれないほどある。

ミラクルは、これらすべてをテレビという土俵の上に引っ張り出すつもりでいた。

ミラクルは、湯呑みの中の泡盛を、心に沁《し》ませるように深く飲み込んだ。

画面の上の心玉尊師の顔が一瞬大きくブレた。

電波障害か。あるいはトラッキングが甘かったのかもしれない。

心玉尊師の顔が異様に歪《ゆが》んでいた。

両目が離れて耳の上あたりに位置していた。

鼻は上下が短縮され、そのぶん口腔《こうくう》がある種の鳥のように耳元までぱっくりと裂けているようだった。その、くちばしのような口が少し開いて、何か音を発した。

音声も狂っているのか、濁って聞き取りにくかった。きちんと聞き取れたにしても、やはりそれは意味をなしていなかったに違いない。

「くみなたと」

そう聞こえた。

ミラクルはテレビのスイッチを消し、湯呑みに泡盛を足すと、窓際に立ってカーテンを引いた。

大生部たちがアフリカへ発つのはたしかここ二、三日。明日かもしれない。ひょっとすると昨日だったかもしれない。

ミラクルは空を見上げた。

どこにも飛行機のライトは見えない。

そういえば、もうとうに夜半を過ぎているのだ。

雲がかかっているのか、ガスが出ているのか、空に星はなかった。

新月に近い月が、細い鎌《かま》のごとく、赤く笑って空に架かっていた。


〈第Ⅱ部に続く〉

集英社文庫　目録（日本文学）

集英社文庫 目録（日本文学）

中村真一郎 死の遍歴
中村メイコ オトコ通り八丁目
中村紘子ほか 私の猫ものがたり
中山ビーチャム 珍々発明
なだいなだ おっちょこちょ医
なだいなだ しおれし花飾りのごとく
なだいなだ カルテの余白
なだいなだ 鞄の中から出てきた話
なだいなだ ボタン戦争
なだいなだ 娘の学校 同窓会
夏樹静子 影の鎖
夏樹静子 蒼ざめた告発
夏樹静子 第三の女
夏樹静子 アリバイのない女
夏樹静子 星の証言
夏樹静子 花の証言

夏樹静子 ひとすじの闇に
夏樹静子 遙かな坂(上)
夏樹静子 遙かな坂(下)
夏樹静子 雪の別離
夏樹静子 殺意
夏樹静子 懇切な遺書
夏樹静子 雲から贈る死
夏堀正元 北に燃える
夏目漱石 坊っちゃん
夏目漱石 三四郎
夏目漱石 こころ
夏目漱石 夢十夜・草枕
夏目漱石 吾輩は猫である(上)(下)
奈良裕明 チン・ドン・ジャン
楢山芙二夫 午前零時の星条旗
鳴海章 ゼロと呼ばれた男

鳴海章 ネオ・ゼロ
鳴海章 スーパー・ゼロ
鳴海章 ファイナル・ゼロ
鳴海章 闇の戦場
鳴海章 劫火 航空事故調査官
南條竹則 満漢全席
南条範夫 古城物語
南条範夫 続・古城物語
南条範夫 抛《なげ》銀《がね》商人
南原幹雄 鴻池一族の野望
南原幹雄 暗殺者の神話
南原幹雄 闇と影の百年戦争
南原幹雄 幕末おんな恋歌
南原幹雄 灼熱の要塞
仁川高丸 微熱狼少女
仁川高丸 キス

集英社文庫　目録（日本文学）

ニコル　ぼくのワイルド・ライフ
ニコル　ニコルの青春記
西川勢津子　「お肌の曲がり角」からUターン
西木正明　ふりかえれば、サバンナ
西木正明　凍れる花火
西木正明　標的
西村京太郎　血ぞめの試走車
西村京太郎　現金強奪計画
西村京太郎　イヴが死んだ夜
西村京太郎　真夜中の構図
西村京太郎　夜の探偵
西村京太郎　伊勢・志摩に消えた女
西村京太郎　殺しのバンカーショット
西村京太郎　日本ダービー殺人事件
西村京太郎　幻想と死の信越本線
西村京太郎　死者に捧げる殺人

西村京太郎　環状線に消えた女
西村京太郎　パリ・東京殺人ルート
西村寿行　闇に潜みしは誰ぞ
西村寿行　回帰線に吼ゆ
西村玲子　暮しのときめき図鑑
西村玲子　女の人生わくわくブック
西村玲子　楽天的ライフスタイルノート
西村玲子　くらしの色えんぴつ
西村玲子　くらしの色えんぴつ 優しい気分の12か月
西村玲子　夢づくり魔法ノート
西村玲子　1日を2倍に楽しむヒント
仁田義男　大老の首
丹羽文雄　悔いなき煩悩
丹羽文雄　鮎
丹羽文雄　再会
丹羽文雄　書翰の人

丹羽文雄　有情
丹羽文雄　厭がらせの年齢
丹羽文雄　好色の戒め
丹羽文雄　母の晩年
丹羽文雄　干（ひがた）潟
丹羽文雄　解氷の音
ねじめ正一　どれみても純情
ねじめ正一　新ねじめのバカ
ねじめ正一　人呼んで純情正ちゃん
ねじめ正一　香港ラプソディ
野坂昭如　騒動師たち
延江浩　アタシはジュース
野村正樹　八月の消えた花嫁
野村正樹　殺意のバカンス
野茂英雄　僕のトルネード戦記
野茂英雄　ドジャー・ブルーの風

集英社文庫

ガダラの豚《ぶた》　I

1996年5月25日　第1刷
1999年1月23日　第7刷

定価はカバーに表示してあります。

著者　中《なか》島《じま》らも

発行者　小島民雄

発行所　株式会社　集英社
東京都千代田区一ツ橋2—5—10
〒101-8050
電話　東京　(3230) 6095（編集）
(3230) 6393（販売）
(3230) 6080（制作）

印刷　大日本印刷株式会社

落丁・乱丁の本が万一ございましたら、小社制作部宛にお送りください。送料小社負担でお取り替えいたします。

Printed in Japan
ISBN4-08-748480-7　C0193